CW00643085

Pyromages

Thaïs Sire

Pyromages

Roman

LE LYS BLEU
ÉDITIONS

ISBN : 979-10-377-7309-8

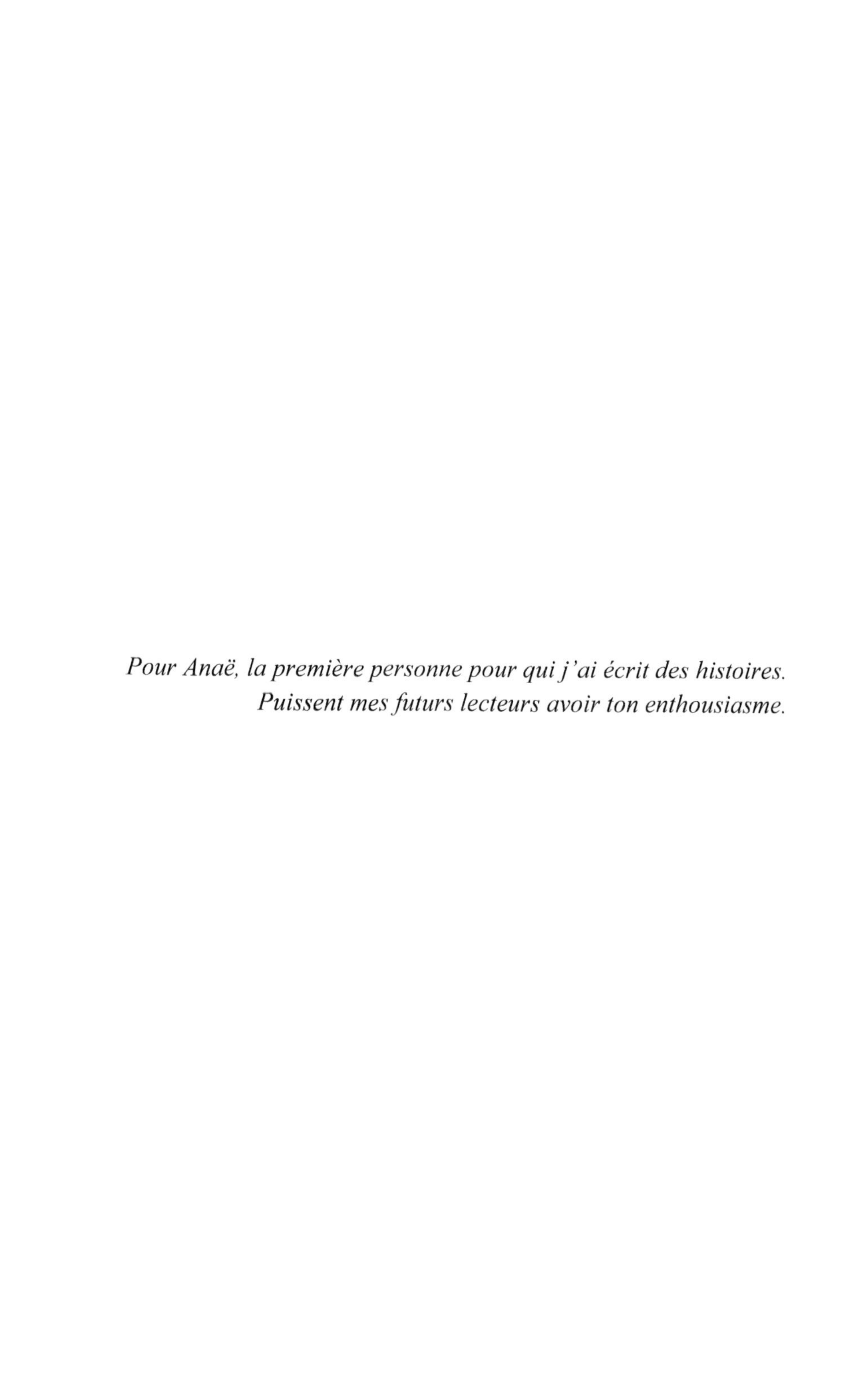

Pour Anaë, la première personne pour qui j'ai écrit des histoires.
Puissent mes futurs lecteurs avoir ton enthousiasme.

Ce roman est destiné aux adultes ainsi qu'aux enfants à partir de 13 ans.

Prologue

Les plumes grattaient le papier. Les pages tournaient sous les index empressés des scribes et des historiens. Les marches du grand escalier craquaient sous les pieds de ceux qui erraient entre les rayonnages. Tous ces bruits résonnaient contre les murs de marbre et les immenses bibliothèques qui les ornaient. Les doigts d'Ilion tapaient sur la table avec un rythme régulier, ajoutant au brouhaha feutré de la Tour des Archives qui rendait son attente plus insupportable encore.

Un son sec le fit sursauter. Il se leva d'un bond, faisant grincer sa chaise sur les tomettes d'argiles, et se précipita auprès de l'étroite fenêtre. Derrière le carreau poussiéreux l'attendait sagement un estafay. L'oiseau gris tacheté portait dans son bec plat la lanière d'une liasse de parchemins roulés. Le scribe prit à peine le temps d'effleurer le plumage soyeux du messager et lui arracha presque sa missive. Sans un regard pour le volatile vexé, il se mit à parcourir les pages frénétiquement. Dans la liste interminable de noms, le sylvain n'en cherchait qu'un, celui de sa fille. Il ressentit un soulagement coupable lorsqu'il eut passé la lettre « C ». Pourtant, son travail n'était pas terminé. À vrai dire, il n'avait même pas encore commencé.

Avec lassitude, il s'assit à son pupitre comme tous les premiers jours de cycle de Sélénée, sortit un parchemin de moindre qualité, trempa sa plume d'estafay dans l'encre et commença à rédiger la première des centaines de lettres qu'il enverrait ce jour-là. Des lettres de condoléances pour les familles des victimes de la Seconde Guerre des Mages.

I

Dans la pénombre multicolore de la chapelle, Nathanaëlle somnolait. Les rayons d'Eos qui traversaient les vitraux bigarrés de la salle circulaire caressaient les paupières mi-closes de la jeune femme et faisaient rougeoyer ses cheveux auburn. On aurait pu croire qu'elle priait, mais son esprit était ailleurs, chez elle. Son véritable chez elle.

La voix cristalline de la prêtresse la berçait sans qu'elle comprenne un mot des louanges en elfique ancien destinées aux Follets. L'instant aurait pu être parfait pour s'évader dans ses souvenirs s'il n'y avait pas eu l'odeur âcre de l'alcool fermenté et de la viande trop salée qui émanait des urnes au centre de la pièce.

Dans le triangle que formaient les trois vases de terre cuite, sur une estrade de bois, la prêtresse élevait la voix, les mains tendues vers le ciel, son regard d'un bleu presque trop clair tourné vers le plafond de pierres. Ses cheveux dorés et son visage fin aux pommettes hautes – typiques de la noblesse – lui donnaient des airs de divinité tombée du ciel. Une robe fluide coulait sur sa silhouette et laissait deviner ses courbes, accentuant son image angélique.

Enfin, elle entama le premier couplet du chant liturgique qui devait clore la cérémonie, bientôt rejointe par toute la communauté. C'était le seul moment que Nathanaëlle attendait lors de l'Illumination. Les enfants, les adolescents et les maîtres chantaient à l'unisson. La langue elfique était mélodieuse et suave. Les notes n'étaient pas toutes justes, mais elles s'unissaient en une harmonie que d'aucuns eurent décrite comme sacrée.

Nathanaëlle ne louait pas les Follets ni ne craignait les Infernaux, mais elle devait avouer que le sentiment d'appartenance qu'elle ressentait en cet instant faisait battre son cœur plus fort. Sans ouvrir les yeux, elle prit la main rugueuse d'Er'gaven à sa droite et la serra doucement. Pendant quelques minutes, elle aurait presque pu oublier que sa place n'était pas ici, dans cette chapelle, avec ce jeune homme. Presque.

Bientôt, les voix s'éteignirent. Tous se levèrent et dessinèrent de leur index un cercle sur le dos de leur main gauche.

« Que les Follets vous guident… commença la prêtresse.

— … Et qu'ils éloignent les Infernaux, clama la foule en chœur. »

Les enfants n'attendaient que ce moment pour se faufiler entre les bancs concentriques et se précipiter vers l'escalier en colimaçon de la tour. Ils dévalèrent les marches, ignorant avec superbe les protestations des adultes.

Nathanaëlle s'apprêtait à les suivre quand une main rugueuse la retint. Ses yeux se plongèrent dans le regard vert d'Er'gaven. Ses cheveux bruns – plus longs qu'à l'accoutumée – commençaient à frisotter et une barbe encore éparse couvrait son menton volontaire.

« Un petit entraînement ? lui proposa-t-il avec malice.

— Tu sais bien que j'ai promis à Idriël de l'aider à s'occuper des cadets.

— Encore avec ce gamin… Après manger alors ? »

La jeune femme acquiesça et déposa un chaste baiser sur les lèvres fines de son compagnon. Avec un regard à demi coupable, elle s'esquiva pour rattraper les enfants qui l'attendaient en bas.

La communauté ressemblait à un vieux monastère avec ses lourdes pierres, ses voûtes et son cloître qui entourait une cour carrée. Très certainement, les premiers humains transférés en Eowhull avaient été des Européens du Moyen-Âge et en avaient rapporté le style romain. C'était en tout cas ce que l'on pouvait lire dans les archives.

Les fenêtres trop étroites ne laissaient entrer que de minces rayons de lumière et les sols nus donnaient aux dortoirs et aux salles de classe un air des plus austères. Pourtant, au fil des siècles, les bâtiments n'avaient pas vraiment changé : les humains étaient trop occupés à se battre aux côtés des elfes pour se lancer dans l'architecture. Il faut dire qu'un seul Homme était plus puissant que des dizaines de sylvains. Si les elfes étaient des guérisseurs hors pair et savaient manier l'air et le vent grâce à leur aura, les pyromages, comme Nathanaëlle, maîtrisaient le feu et – à un certain âge – pouvaient même prendre la forme de redoutables dragons.

Idriël était au pied des marches, les mains dans les poches de son pantalon de toile. Son cou était enfoui dans son écharpe bleu nuit constellée d'étoiles brodées et mille fois raccommodée. Le blondinet rayonnait de bonheur en regardant les cadets s'éparpiller dans la cour.

Il avait beau avoir fêté ses quinze ans, il gardait une âme d'enfant. Il avait toujours l'esprit ailleurs et semblait tout ignorer de la guerre. Né au Canada, il parlait français et c'était lui qui avait enseigné l'elfique à la petite Parisienne qu'était Nathanaëlle à son arrivée, trois ans auparavant.

L'adolescente avait alors tout juste dix-sept ans. La joie de vivre de l'enfant et son attitude de monsieur je-sais-tout l'avaient d'abord agacée, mais ils étaient vite devenus complices. Au début, meneurs des cadets pour les enrôler dans des bêtises toujours plus abracadabrantes, ils étaient maintenant volontaires pour aider les nourrices dès qu'ils en avaient le temps. Les elfes dépêchés au sommet des Rocheuses pour s'occuper des petits humains appréciaient toujours leur aide.

Nathanaëlle partageait avec Idriël cet apaisement à voir les bambins jouer et crier, libres des soucis des adultes. La plupart avaient oublié leur ancienne vie et si cela serrait parfois le cœur de la jeune femme, c'était en réalité une bénédiction.

Elle-même, arrivée juste après son entrée au lycée, n'arrivait pas à oublier ses parents et ils la hantaient chaque nuit. Sans exception. Parfois, elle se demandait s'ils l'auraient protégée s'ils avaient découvert sa magie. Tous les adultes de la communauté – humains comme elfes – assuraient le contraire. Nathanaëlle espérait qu'ils se trompaient.

La jeune mage secoua la tête pour chasser la mélancolie qui menaçait de l'envahir et tapa plusieurs fois dans ses mains pour attirer l'attention des petits monstres.

« Qui est prêt pour un cache-cache ? »

Les acclamations des enfants étaient une réponse bien suffisante.

Seul l'un d'eux, Arthaer, resta silencieux. C'était le seul enfant elfe de la communauté. Il était aveugle et sa cécité était considérée comme une malédiction des Infernaux. Des textes anciens rapportaient les désastres causés par les enfants qui avaient le malheur de naître sans la vue. Nathanaëlle pensait que ces légendes étaient aussi réelles que les mythologies de son monde, mais les elfes n'étaient pas de son avis. Envoyé dans les montagnes dès sa plus tendre enfance par les Sages de sa cité, Arthaer était un solitaire.

Comme d'habitude, une nourrice lui lisait un énorme pavé. Certains jours, c'était une encyclopédie, d'autres fois un livre de grammaire naine ou de vocabulaire saurial. Nathanaëlle ne tenta pas de forcer l'elfe à se joindre à la partie.

« Je compte ! » annonça-t-elle.

La jeune femme avait déjà trouvé vingt-deux des vingt-six enfants de la communauté. Elle soupçonnait Idriël d'avoir aidé les quatre derniers. Suivie par tous les perdants, elle entra dans la cantine et s'accroupit pour regarder sous les longues tables et leurs bancs. Bredouille, elle alla jusqu'à jeter un œil à l'immense âtre de la cheminée de briques.

Alors qu'elle s'apprêtait à tourner les talons pour aller écumer les dortoirs, un chuchotement lui parvint, immédiatement étouffé. Elle se retourna et posa un doigt sur ses lèvres puis avança à pas de loup vers la porte de la cuisine. Les cadets retenaient leur rire quand elle ferma sa main sur la poignée et la fit pivoter d'un coup.

« Trouvés ! » cria-t-elle en découvrant Idriël et les quatre fugitifs.

Ils sursautèrent tous et l'adolescent se rattrapa de justesse sur un lourd sac de farine de vehnä. Ce dernier ploya sous son poids et répandit une poudre orangée. Une fillette aux cheveux crépus éternua alors que son camarade venait de lui en envoyer dans la figure. Avant même que Nathanaëlle ait pu intervenir, les vingt-six tornades étaient dans la cuisine et une bataille avait éclaté.

Les rayons d'Eos qui traversaient la fenêtre de la pièce donnaient des reflets dorés aux grains de farine qui volaient. Le rire des enfants éclatait et ricochait contre les murs et les deux jeunes gens ne purent s'empêcher de se joindre à l'hilarité générale.

Pourtant, une voix grinçante interrompit l'instant.

« Que se passe-t-il ici ? »

Tous se figèrent et même la farine parut retomber plus vite après que la question eut claqué dans la cuisine. Une robe grise à froufrous fendit la foule des petits fantômes roux jusqu'à arriver aux deux responsables. Un rictus de rage laissait voir les canines qui valaient le surnom de vampire à la révérende.

« Encore vous ? » s'étrangla-t-elle.

Idriël feignit un air contrit tandis que Nathanaëlle soupira avec un demi-sourire. Les enfants s'étaient tassés derrière eux, les yeux braqués sur leurs souliers en cuir.

« Des voyous, voilà ce que vous êtes tous ! Puisque vous gaspillez de la nourriture, vous serez privés de dessert ce soir. »

Les cadets grimacèrent. La vieille femme se félicita de leur déception et releva la tête, son long menton en avant, sans se douter qu'ils avaient en fait esquissé un rictus de dégoût en pensant à l'affreux gruau de vehnä qui leur était servi chaque jour.

« Quant à vous deux, vous vous chargerez du ménage de cette pièce, de la douche des enfants et de la vaisselle ce midi. »

Les épaules de Nathanaëlle s'affaissèrent.

Le son du métal frottant sur les tomettes et rebondissant à chaque joint mettait les nerfs de Nathanaëlle à rude épreuve. Er'gaven ne s'était pas énervé quand elle lui avait avoué qu'ils devraient reporter leur entraînement à la fin de l'après-midi, mais il avait mis un point d'honneur à avoir l'air le plus renfrogné possible. Tout ce qu'il avait fait depuis qu'elle l'avait rejointe après ses corvées était grommeler et traîner son arme derrière lui.

« Encore un enfantillage, râlait-il. Et avec cet abruti en plus…

— Parce que bouder n'est pas puéril peut-être ? se moqua la mage. Plus que trois cycles de Sélénée avant tes vingt ans, tu devrais mûrir un peu. »

Le jeune homme prit une longue inspiration et s'arrêta, poussant sa compagne à se retourner. Il ne put ignorer son sourire malicieux et charmeur, mais tenta de garder son sérieux :

« Je voulais juste passer un peu de temps avec toi, protesta-t-il, et t'aider à enfin rattraper ton retard. »

Il était vrai que malgré les quatre années passées à la communauté, Nathanaëlle ne semblait tout simplement pas faite pour manier une arme. Ses coups étaient puissants, mais elle manquait cruellement de précision et de rapidité. Malgré tous ses efforts, elle n'arrivait pas au niveau de ceux qui s'entraînaient depuis leur adolescence. Elle avait finalement opté pour une hache à double tranchant pour que chaque coup asséné fende le crâne de ses ennemis, mais ce n'était pas suffisant.

« Je maîtrise la magie comme peu d'entre nous, se défendit-elle. Dès que je saurai me transformer en dragon, je n'aurai plus besoin d'apprendre la moindre technique de corps à corps.

— Personne ne sait ce qui peut se passer dans un combat. Quand la forme draconique de maître Val'acar a été mutilée, c'est son épée qui l'a sauvé. »

Nathanaëlle leva les yeux au ciel, mais ne répondit pas.

Elle vit soudain maître Sylène courir vers la porte. La chemise en lin brodée de cerises de la jeune femme voletait derrière elle et des mèches entières échappaient à son chignon qui se balançait au rythme de ses pas. Les deux jeunes gens se regardèrent, inquiets que quelqu'un se soit aventuré au-delà de la zone de confinement. Respecter ces limites pendant la période de mise bas des wendigo'wak était conseillé à qui voulait survivre : ces loups aux bois de cerfs étaient sans pitié lorsqu'il s'agissait de nourrir leur portée.

Ils furent cependant rassurés quand ils sortirent à la suite de la jeune professeure : elle voulait seulement accueillir le nouveau membre de la communauté. En léger contrebas, deux elfes descendaient de leurs istriefs. Les montures aux allures de cervidés étaient plus adaptées aux sentiers de forêts et traînaient de la patte sur les flancs escarpés des pics des Rocheuses.

L'un des deux voyageurs portait une fillette à la peau mate. Maître Sylène vint caresser ses cheveux trempés de sueur. Ses yeux s'agitaient vivement sous ses paupières closes et des frissons parcouraient tout son corps. Au moins avait-elle survécu au transfert, pensa Nathanaëlle.

Il n'était pas rare qu'un enfant – trop jeune ou trop fragile – meure à son arrivée en Eowhull. Ce n'était pas si étonnant. Aussi miraculeuse cette cérémonie soit-elle, le voyage entre les mondes était l'épreuve la plus douloureuse que Nathanaëlle ait jamais connue. Même des années après, l'aura qui coulait dans ses veines la brûlait comme au premier jour.

« On devrait y aller, dit la jeune femme.

— On pourrait donner un coup de main », proposa Er'gaven.

Mais le jeune homme se ravisa quand il vit le visage de la mage se tordre comme en miroir de celui de l'enfant. La douleur du transfert était encore trop vive dans sa mémoire et elle la revivait chaque fois qu'un nouvel enfant arrivait. Er'gaven lui prit la main et la tira à l'écart de la scène, Messire Sayr'ha saurait mieux qu'eux comment s'occuper de la fillette. Le médecin avait l'habitude.

Cela faisait déjà des siècles que, de temps à autre, une étrange transe s'emparait d'un elfe. Personne ne savait comment était choisi l'heureux élu, mais les prêtres étaient formels : c'était l'œuvre des Follets. Un lien se formait alors entre la Terre et Eowhull, une porte s'ouvrait entre les deux mondes, permettant le passage de l'humain dont l'aura s'était éveillée, et se refermait aussitôt. Les mages n'avaient pas le choix, mais comment auraient-ils pu refuser une offre des Follets ? Aussi, jamais au grand jamais, un elfe n'avait lutté contre sa transe.

Après quelques échanges de hache et d'épée, la mauvaise humeur d'Er'gaven s'était envolée. Nathanaëlle l'aurait parié. Elle savait bien que le jeune homme n'était pas réellement en rogne contre elle. Chaque année, c'était la même chose. Pendant la période de mise bas, il devenait susceptible et grognon. L'enfermement ne lui réussissait pas.

À vrai dire, la mage le comprenait. Elle-même se languissait des longues randonnées qu'ils faisaient tous les deux dans les montagnes. Dormir à la belle étoile – loin des murs de pierre de la communauté – lui manquait.

Elle aimait être seule avec Er'gaven. Il lui semblait que quand ils n'étaient que tous les deux, le jeune homme se transformait. Il devenait plus doux, plus rieur aussi. Il n'était plus question de guerre ou de Follets, juste de profiter de la chaleur des nuits d'été.

Enfin… La zone de confinement était très restreinte, mais au moins s'étendait-elle plus loin que la petite cour carrée au milieu du cloître.

Plongée dans ses pensées, Nathanaëlle n'eut pas le temps d'esquiver le coup d'Er'gaven et il dut retenir son geste pour ne pas lui déboîter l'épaule. Un sourire victorieux se dessina sur les lèvres fines du jeune homme, mais il s'effaça bien vite quand un coup du plat de la hache de son adversaire le déséquilibra. Les fesses dans l'herbe humide, il râla abondamment sur la déloyauté de l'attaque, mais Nathanaëlle, riant aux éclats, ne l'écoutait pas.

Devant la mine faussement renfrognée de son compagnon, la jeune femme lui tendit sa main pour l'aider à se relever. Il la saisit dans sa poigne rugueuse et son visage s'éclaira. Quand il fut de nouveau sur ses deux pieds, il déposa un baiser sur la joue de Nathanaëlle avant de la renverser à son tour avec un sourire malicieux.

Le couple était allongé dans l'herbe rase de la vallée, leurs armes posées telles quel à quelques mètres d'eux. Er'gaven aurait bien continué encore un peu, mais Nathanaëlle avait été prise d'un léger vertige. Un silence apaisé s'était installé. La jeune femme avait posé sa tête sur le torse de son amant, et il avait passé son bras autour d'elle, protecteur.

Sur les flancs abrupts, des dahus broutaient, tentant d'arracher les chardons qui poussaient entre les pierres. Les pattes asymétriques de ces drôles de chèvres les condamnaient à rester sur la même montagne toute leur vie. En faire l'élevage avait été un jeu d'enfant pour les premiers membres de la communauté.

Un vent frais s'engouffrait entre les sommets, charriant avec lui les hurlements sinistres des wendigo'wak. Nathanaëlle ferma les yeux pour sentir la chaleur printanière sur ses paupières, mais son esprit dériva aussitôt, fuyant Eowhull.

Le visage de ses parents s'imposa à elle, plus flou chaque fois qu'il revenait. Leurs voix résonnaient dans sa tête, mais elles n'étaient maintenant plus que des murmures. Cet oubli progressif la terrifiait et de plus en plus, elle pensait aux nains.

Ces barbares qui leur faisaient la guerre depuis des centaines d'années voulaient bannir les mages de leur monde. Ils avaient un portail – disaient-ils – qui reliait Eowhull à la Terre. Nathanaëlle avait souvent pensé à traverser le désert des Cendres pour rejoindre le royaume d'Ankor et trouver ce portail, mais la peur la retenait dans les montagnes. Après tout, elle avait quitté une famille certes, mais c'était pour en retrouver une autre. Une qui ne la transformerait pas en cobaye et qui ne l'enfermerait pas par peur de sa différence. Peut-être que tout cela ne serait pas arrivé, mais ici elle était certaine d'être en sécurité. De quoi d'autre avait-elle donc besoin ?

D'avoir le choix peut-être. L'elfe qui avait senti son *appel* ne lui avait pas demandé son avis. Nathanaëlle aurait bien aimé croire les prêtres et les Sages sur parole quand ils assuraient que la transe divine émanait des Follets, vraiment. Mais elle se demandait toujours comment ils avaient déterminé que les symboles tracés au sol et les incantations chantées par ces *élus* ne venaient pas des Infernaux ou de n'importe quelle autre force spirituelle pouvant exister dans ce monde.

Er'gaven lui disait souvent qu'elle n'entendait pas les voix des Follets parce qu'elle ne les écoutait pas. Il se trompait. Pendant les mois qui avaient suivi son transfert, elle les avait priés tous les jours de la renvoyer sur Terre et avait attendu leur réponse avec une ferveur désespérée. Elle n'en avait jamais eu.

« À quoi tu penses, Ysis ? » lui demanda Er'gaven.

La jeune femme se tendit à l'entente de ce nom elfique qui ne serait jamais le sien. Elle n'avait pourtant pas réussi à convaincre son compagnon de l'abandonner. Selon lui, cela ne ferait que lui rappeler une vie qui n'était plus la sienne.

« À rien, répondit-elle en se forçant à avoir l'air rêveuse. »

Elle savait que ses doutes inquiétaient le jeune homme.

« Je me disais juste que j'avais de la chance de t'avoir, mentit-elle. Je me sens à ma place quand je suis avec toi.

— Je vais bientôt devoir partir, souffla alors son compagnon.

— Je sais. »

Nathanaëlle n'en était que trop consciente. Il aurait vingt ans dans trois cycles de Sélénée, à peine trois mois et demi. Le couple aurait à peine le temps de profiter de l'arrivée des beaux jours et de la fin du confinement avant que la guerre ne les sépare. La jeune femme redoutait ce moment. Elle avait menti en disant qu'elle pensait à lui à l'instant, mais pas tout à fait quand elle disait se sentir à sa place avec lui. Quand ils étaient ensemble, seuls, elle n'avait plus l'impression d'être bloquée en Eowhull.

« Je… Je crois que j'ai un peu peur… »

La voix d'Er'gaven n'était qu'un murmure. Nathanaëlle se redressa sur son coude. Elle se sentait toujours privilégiée quand le jeune homme lui confiait ses craintes. Elle savait qu'il ne s'était ouvert à personne d'autre à ce sujet depuis des années.

« Moi aussi, lui avoua-t-elle. Je ne veux pas t'imaginer là-bas, au milieu des combats. Je sais déjà que l'attente de tes lettres me rendra malade, que je tremblerai chaque jour en pensant à toi. Mais tu t'en sortiras. Maître Val'acar dit que tu es probablement l'élève le plus déterminé qu'il ait jamais vu manier une épée et personne ne lui donnerait tort !

— Mais si… Si le fait que je n'arrive pas à me transformer, même pas les premières étapes… Si ça voulait dire que les Follets ne me pensaient pas digne ?

— Tu ne seras pas le premier à quitter la communauté sans savoir te métamorphoser. Ça viendra. Et puis, je te rejoindrai. Il n'y aura que quelques cycles à attendre. »

La jeune femme dessinait le contour du visage anguleux de son compagnon du bout de son pouce. Er'gaven sourit.

« Tu as raison. Ce ne sera pas si long. »

Après un court silence, le jeune homme leva le bras vers le ciel, le doigt pointé vers un nuage isolé.

« Eh ! Regarde ! On dirait un tinger, il y a ses grandes oreilles, là, à droite. »

Nathanaëlle suivit son conseil et ne put qu'acquiescer en riant. Elle se laissa retomber dans l'herbe, sa tête posée sur l'épaule d'Er'gaven, cherchant à son tour un dessin dans la masse cotonneuse qui glissait au-dessus d'eux. À défaut des habituelles constellations à nommer, ce serait au tour des nuages de se faire baptiser !

La révérende sonna la cloche dans la cour de la communauté et les couloirs se remplirent d'enfants et d'adolescents bruyants et pressés. Ils se bousculaient pour rejoindre leur cours d'arithmétique, d'elfique ou d'histoire.

Nathanaëlle se faufilait derrière la silhouette ronde de Nerwen et les tresses collées d'Uëliss pour rejoindre le cours de maniement de la magie. Ses deux compagnes de dortoirs étaient plus jeunes qu'elle et étaient encore toutes excitées à l'idée d'aller réveiller leur aura. Nathanaëlle haïssait cette essence parasite qui était partout, de ses veines jusqu'au cœur du monde. C'était la Pulsation d'Eowhull qui tuait les nourrissons, ce battement sourd de l'atmosphère qui hantait la jeune femme comme un acouphène permanent.

Nathanaëlle se sentit soudain projetée vers le mur de pierre, alors que la foule se pressait sur la gauche du couloir. La mage leva les yeux au ciel, elle connaissait sans la voir la cause de ce mouvement général : le passage d'Arthaer. Elle profita de ce que tous se signaient avec effroi d'un cercle sur la main pour rattraper ses deux camarades et les entraîner vers l'escalier, dépassant le druide sans plus de cérémonie.

Les cours de maître Sylène se déroulaient un peu à l'écart de la communauté, à la limite de la zone de confinement. L'air était froid. Des nuages de brumes s'accrochaient au sommet des montagnes environnantes. Les trois jeunes filles ignorèrent les chemins rocheux et coupèrent à travers la végétation chétive des Rocheuses. Elles passèrent alors devant un troupeau de dahus resserrés les uns contre les autres.

Nathanaëlle les regarda avec malice.

« J'ai hâte d'être à dimanche, se réjouit-elle.

— La dernière idée d'Idriël te plaît ? lui demanda Nerwen avec curiosité.

— Beaucoup… éluda la jeune femme.

— Allez ! la pressa son amie. Crache le morceau !

— On va ramener un dahu dans la chambre de la révérende. Les enfants vont adorer ! »

Uëliss resta silencieuse, toujours peu enthousiaste de découvrir la prochaine amusoire que réservait Nathanaëlle aux cadets. Nerwen par contre pouffa de rire, elle imaginait déjà la fureur de la vieille dame.

Le trio arriva en retard. Une dizaine d'élèves de tout âge était déjà dispersée dans la vallée. D'aucuns se concentraient pour enflammer des mannequins de bois tandis que d'autres tentaient de se métamorphoser. Chacun savait ce qu'il avait à faire et maître Sylène passait de l'un à l'autre pour les encourager et les conseiller.

Nathanaëlle salua ses amies, s'écarta du groupe et ralentit sa respiration avec appréhension. Elle sentait l'aura couler dans ses veines et vibrer avec la Pulsation émanant du sol. Concentrée pour accorder son souffle aux battements du monde, la jeune femme ne remarqua pas la bulle inerte qui naissait dans son ventre. Elle continua d'inspirer et d'expirer lentement et connecta sa pensée au flux de magie qui la traversait. Elle se mit à l'agiter et son sang pétilla puis bouillonna jusqu'à la brûler.

Elle dirigea ensuite la substance éveillée vers sa peau qui fut alors traversée par des écailles d'un bleu opalescent. Les plaques épaisses sortaient sans faire tomber la moindre goutte de sang, mais la mage avait l'impression que des centaines de petits poignards la transperçaient de toute part. Pourtant, elle laissa son corps se recouvrir de cette armure de kératine et guida son aura vers ses os. Des craquements annoncèrent leur métamorphose. Ils s'allongèrent et s'épaissirent.

Les coutures de la tunique de Nathanaëlle craquèrent à leur tour alors que des bosses se formaient sur ses omoplates. La douleur était au bout de chacun de ses nerfs. Avant d'arriver ici, elle n'aurait pas supporté une telle souffrance, il faut croire que l'on s'habitue à tout.

Le visage de la jeune femme se déformait, sa mâchoire s'avança et son nez se transforma en un museau semblable à celui d'un caïman. Nathanaëlle n'avait jamais été aussi loin et elle devait lutter pour se forcer à maintenir l'ébullition de l'aura dans tous ses vaisseaux sanguins. Alors que ses côtes s'élargissaient et que son dos se courbait, elle sentit la magie lui échapper comme de l'eau lui filant entre les doigts. Elle grogna alors de frustration et ferma les poings pour retenir le flux volatile, en vain. À bout de force, elle lâcha prise et se laissa tomber au sol.

La torture n'était pas terminée. Les écailles se rétractèrent, les os se tordirent à nouveau, sa cage thoracique se resserra et lui coupa le souffle. Après de longues minutes, la magie se calma enfin. Tapie dans ses veines, elle se remit à battre avec le monde avec une régularité obsédante.

La jeune pyromage s'assit. Des étoiles scintillaient devant ses yeux et une migraine lui barrait le front. Elle observa les autres élèves en reprenant sa respiration. Nerwen et Uëliss se défiaient pour savoir qui ferait la plus grande flamme. Elles aussi pourraient bientôt s'entraîner à la métamorphose. À quelques pas d'elles, la petite Fihin avait les paupières closes et ses mains d'enfant tournées vers le ciel.

Une étincelle naquit juste au-dessus, encore vacillante. Elle ouvrit les yeux et poussa un petit cri d'émerveillement. Pourtant sa joie ne fut que de courte durée. L'étincelle se mua en flamme dévorante qui engloutit sa main et passa à quelques millimètres de son visage.

Avant même que maître Sylène n'ait pu intervenir, le feu était mort et les doigts de la fillette se couvraient de cloques. Un premier hoquet la secoua, suivi de lourds sanglots. La professeure se précipita vers elle, mais le mal était fait. Elle l'entoura de ses bras potelés et la serra contre sa poitrine généreuse.

« Ça va aller, chuchota-t-elle. Messire Sayr'ha va réparer tout ça.

— Je veux mon papa et ma maman… » gémit l'enfant.

La professeure eut un brusque mouvement de recul, comme brûlée par les mots de l'enfant, surprise par sa détresse. Cette réaction sidéra Nathanaëlle. Venait-elle donc de découvrir ce que ressentaient tous les transférés ? N'avait-elle donc aucun souvenir de sa propre enfance en Eowhull ? Des larmes qu'elle avait sûrement versées lorsque, roulée en boule de douleur, elle avait appris qu'elle ne reverrait jamais sa famille ?

La jeune femme aurait voulu prendre la Maître à partie, lui rappeler ce que le transfert était pour un enfant. Mais elle ne pouvait pas se permettre d'être punie ce dimanche : Fihin attendait avec impatience de voir un dahu sur le lit de la révérende.

***

Idriël frissonnait dans son manteau en cuir de menta'nuru – des fauves du désert – et il peinait à suivre le pas rapide de Nathanaëlle. Pourtant il ne regrettait rien. Les bêlements et les chevrotements du dahu mêlé aux rires des enfants résonnaient toujours dans son esprit. La vision des petites crottes cubiques sur les draps impeccablement bordés était comme un rêve éveillé.

Bien sûr, le jeu aurait pu durer plus longtemps si ce fayot d'Arthaer ne les avait pas dénoncés. En plus de terroriser toute la communauté avec son regard vide, le gamin était un misérable mouchard. Enfin, c'était ce dont se plaignait Idriël, à la traîne derrière son amie.

***

« Il est mis à l'écart par les siens et par nous et tu t'étonnes qu'il soit un peu revanchard ? ironisa la jeune femme. C'est facile de critiquer.

— Ce n'est pas comme sur Terre ici, les aveugles sont maudits ! Et un druide maudit peut être sacrément dangereux. D'ailleurs, celui qu'on nous a collé dans les pattes n'a jamais réussi à rien soigner ! Leur magie n'est pas celle des Follets », insista le blondinet.

La jeune femme se tut, comme souvent. Débattre des Follets avec l'adolescent revenait à discuter avec Er'gaven du portail des nains ou avec la révérende du bien-fondé ou non des transferts. Ils baignaient dans leurs opinions depuis tellement longtemps qu'ils ne se posaient plus la moindre question. Elle repensa à maître Sylène plus tôt dans la semaine. La professeure se mentait à elle-même en pensant que tous les mages étaient heureux de leur transfert, mais elle vivait dans ce mensonge depuis plus de dix ans : comment lui en vouloir ? Pouvait-on lui demander de mettre en doute les nourrices qui l'avaient élevée et la prêtresse qui avait célébré son baptême elfique et sa consécration de Maître ?

Leur petite plaisanterie avait quand même valu à Idriël et Nathanaëlle une punition sévère. Ils avaient été chargés de graver dans l'écorce de l'Arbre-Tout-Seul les noms des pyromages tombés au combat pendant le cycle de Sélénée qui venait de s'écouler. La lettre était arrivée la veille, envoyée par estafay de la tour des Archives.

Nathanaëlle ne connaissait aucun des deux prénoms griffonnés sur le parchemin, mais Idriël se souvenait avoir connu la fille quand il était enfant et, elle, déjà presque adulte. Il n'en avait que peu de souvenirs, mais connaître son visage et sa voix la rendait déjà trop réelle pour que sa mort ne soit qu'un chiffre.

Les deux amis avaient bien sûr amené des ciseaux à bois ainsi que leurs armes. L'Arbre-Tout-Seul était au-delà de la limite de la zone de confinement. Il avait été planté sur un sommet voisin de la communauté, là où aucun autre arbre n'avait daigné pousser. L'aura d'un elfe Druide et de ses suivants lui avait donné vie et il étendait maintenant ses branches majestueuses et ses feuilles pourpres au-dessus de la végétation craintive des Rocheuses.

Son écorce rude accueillait le nom de tous les dragons décimés par les nains depuis le début des combats de la Première Guerre des Mages. Le tronc était large, mais les noms étaient innombrables et ils montaient tellement haut que Nathanaëlle et Idriël devraient escalader avec une corde pour se suspendre à la bonne hauteur.

Des hurlements lupins prenaient écho sur les flancs de la montagne. Les grands charognards des Rocheuses étaient de sortie et tournoyaient dans le ciel printanier, attendant la prochaine victime des wendigo'wak. Sans hésiter, Nathanaëlle commença l'ascension, laissant sa hache à terre. Les deux trublions travaillèrent en silence, s'écorchant les mains sur l'écorce rêche de l'arbre, n'osant pas insulter la révérende dans ce lieu sacré. Nathanaëlle n'avait pas beaucoup de scrupules pour les Follets et les Infernaux, mais le souvenir des mages l'intimidait.

La jeune femme essuyait la sueur qui coulait sur son front lorsqu'elle sentit une odeur fauve. En alerte, un mouvement en contrebas attira son regard. Un buisson presque nu peinait à cacher trois silhouettes recroquevillées. Cela aurait pu être des tingers mal nourris, mais ces chimères à l'allure de lapins mutants ne quittaient leur terrier que la nuit et Eos était encore haut dans le ciel. Ses doutes furent confirmés lorsque les trois louveteaux efflanqués sortirent de leur couvert et se dirigèrent… Vers l'arbre.

Seuls, ils étaient inoffensifs, mais leur mère n'était jamais loin. Nathanaëlle suivait leur démarche pataude, leurs reniflements curieux et les dandinements de leurs têtes allongées ornées de bois. Encore quadrupèdes, perchés sur des pattes trop élancées pour eux, ils auraient presque pu être drôles.

« Idriël… murmura-t-elle.

— Pourquoi tu chuchotes ?

— Ne regarde surtout pas en bas. »

C'était un conseil qu'il n'aurait pas fallu donner. Intrigué, le jeune homme laissa son regard tomber au pied de l'arbre et y rencontra celui d'un blanc jaunâtre des nouveau-nés. Ses muscles se tendirent d'un coup et il laissa échapper un couinement strident. Il n'en fallait pas plus pour alerter la mère aux aguets.

Alors que Nathanaëlle pestait contre son complice, une ombre blanche aux côtes ciselées s'approcha en grognant. La créature faisait plus de deux mètres et étant penchée vers l'avant. Les bras ballants, les babines retroussées, elle serait auprès de ses rejetons en quelques secondes.

Sans attendre, Nathanaëlle descendit de l'arbre, se griffant la joue et les coudes sur l'écorce. En sautant le dernier mètre, elle bouscula l'un des petits qui courut se mettre à l'abri avec le reste de sa fratrie. La jeune fille ramassa sa hache et se retourna pour faire face à l'ennemi. Elle aurait aimé être plus rapide pour avoir le temps d'invoquer son aura, mais… C'était trop tard.

En cet instant, l'haleine fétide du wendigo la prenait à la gorge et le filet de bave qui dégoulinait de sa gueule entrouverte menaçait de couler sur sa joue. La mage vit la patte du monstre se lever pour lui arracher la carotide, mais elle la repoussa d'un coup du manche de son arme. Puis elle recula d'un pas et leva sa lame. La bête était puissante, mais un tant soit peu alanguie, peut-être affaiblie par sa mise bas. La hache s'abattit sur son bras qui se couvrit d'un sang pourpre.

Plutôt que de répliquer, la louve aux bois de cerfs leva la tête vers le ciel et poussa un long hurlement distordu. La jeune femme lui trancha la gorge d'un revers de hache, mais le mal était fait : la meute était en route. Sans hésiter, l'arme faucha les trois orphelins qui s'avançaient vers le cadavre de leur mère.

« Il faut qu'on file… souffla Idriël en glissant doucement le long du tronc.

— Toi oui, pas moi, le contredit son amie. Ils vont rappliquer d'une minute à l'autre, on ne courra pas assez vite.

— Hors de question de te laisser seule, je reste. »

Le jeune homme était déjà en position de combat, son épée courte serrée dans ses mains moites. Nathanaëlle n'eut pas le temps de protester, le bruissement des cailloux ballottés par la course de la meute annonçait son arrivée. En hurlant, la jeune femme se lança à l'assaut.

Face à elle, cinq masses décharnées cavalaient, moitié bipèdes, moitié à quatre pattes. Leur peau tendue sur leurs os semblait prête à se déchirer. Arrivées à la hauteur de la mage, elles l'encerclèrent et se redressèrent. Nathanaëlle fit virevolter sa hache et dessina de longues estafilades sur le pelage épars des créatures. Elle sentit de longues griffes déchirer sa chemise et la peau de son dos puis entendit la lame d'une épée contre des os. Le wendigo se retourna, prêt à déchiqueter l'importun, mais une hache de jet lui arracha la mâchoire. Idriël fut si surpris qu'il en resta figé un instant.

« Achève-le ! lui ordonna la voix familière d'Er'gaven alors qu'une deuxième hache volait. »

L'adolescent reprit ses esprits et abattit son épée dans la poitrine du wendigo qui s'écroula. Nathanaëlle et Er'gaven étaient aux prises avec les trois créatures encore vivantes. Les vêtements de la jeune femme étaient imbibés de sang et ses coups faiblissaient. Une patte griffue lui déchira le flanc. Er'gaven avait sorti son épée longue de son fourreau. Il en transperça un adversaire de part en part avant de déstabiliser le deuxième d'un coup de pommeau dans les côtes. Elles se brisèrent en un craquement sinistre. Il ne lui fallut pas plus de temps pour lui ôter la vie pendant que Nathanaëlle sortait les entrailles de celui qui voulait la mordre au visage.

Les six loups et leurs trois louveteaux gisaient dans leur sang et celui de Nathanaëlle. Cette dernière était penchée, les mains sur les genoux, la commissure de ses lèvres tachée de rouge. Sans grande douceur, Er'gaven la saisit dans le dos et sous les genoux.

« Prends sa hache ! cracha-t-il à Idriël avec rage. On rentre avant que les charognards ne viennent se battre pour leurs restes. »

Er'gaven marchait à grands pas, obligeant Idriël à trottiner derrière lui, son champ de vision barré par les larges épaules de leur sauveur. Après avoir traversé la communauté au pas de course malgré le poids de la jeune femme dans ses bras, Er'gaven ouvrit d'un coup de pied la porte de l'infirmerie et fit ainsi sursauter Messire Sayr'ha. Le médecin était penché au-dessus du lit de la dernière transférée – encore inconsciente et fiévreuse. Il se leva précipitamment et rejoignit Er'gaven qui allongeait Nathanaëlle sur les draps gris d'un lit grinçant.

Les cheveux argentés de l'elfe parcourus de mèches dorées étaient réunis en une longue tresse dévoilant ses oreilles pointues. Ses lèvres bleutées dessinèrent une légère grimace avant qu'il ne reprenne son éternel air impassible.

« Que s'est-il passé ? demanda-t-il sans émotion, trop habitué à voir des pyromages revenir en piteux état.

— Ces deux imbéciles ont réussi à attirer une meute de wendigo'wak ! Heureusement que madame la révérende m'avait envoyé les surveiller !

— C'est elle qui nous a fait sortir de la zone de confinement ! » corrigea la blessée avec rage.

Le jeune homme ouvrit la bouche pour répliquer, mais son regard se posa sur les mains de sa compagne pressées sur son flanc pour contenir le sang. Les draps gris rougissaient sous le corps de la jeune femme. Son compagnon blêmit légèrement et se tut. Il donna un coup de coude à Idriël et les deux jeunes hommes détournèrent les yeux.

Messire Sayr'ha aida alors la jeune mage à se déshabiller puis lava ses plaies. Il la fit ensuite se rallonger et effleura sa peau meurtrie de ses doigts effilés. Nathanaëlle sentit l'aura de l'elfe se mêler à la sienne dans ses veines en un bouillonnement douloureux. Pourtant, la sensation de brûlure était suivie d'une sorte de bien-être doux : ses blessures se refermaient d'elles-mêmes et semblaient même cicatriser. Il ne restait plus que de simples égratignures.

L'elfe guidait sa magie sur une lacération de son abdomen lorsqu'il s'interrompit brusquement.

« Qu'y a-t-il ? l'interrogea sa patiente.

— Je... »

Le médecin laissa son aura glisser un peu plus dans le sang de la jeune femme. C'est à cet instant qu'elle remarqua enfin la bulle de vide si confortable qui l'habitait – une zone étrange où la magie ne coulait pas. Était-elle malade ? Son corps rejetait-il enfin la substance qui la torturait depuis des années ? L'excitation gagnait la jeune femme alors qu'elle s'imaginait déjà libre de toute douleur... Mais elle retomba immédiatement quand elle croisa le regard désolé du médecin. Il regardait son ventre avec pitié.

« C'est grave ? » demanda la mage.

Elle fixait à son tour son abdomen avec inquiétude. L'elfe acquiesça et, d'une formule lapidaire, confirma ses craintes :

« Vous êtes enceinte. »

II

Enceinte. Le mot tomba comme une enclume sur la poitrine de Nathanaëlle. Er'gaven se retourna d'un coup, l'air paniqué, et marmonna une invective contre les Infernaux. La jeune femme ne le vit même pas. Son regard était fixé sur son ventre qui ne s'était pourtant pas arrondi.

L'infirmier capta son regard et continua :

« C'est récent. Vous ne sentirez rien. »

Nathanaëlle mit quelques secondes à comprendre ce qu'insinuait messire Sayr'ha. Elle eut l'impression que sa cage thoracique se comprimait un peu plus quand la réalité la heurta : il allait la forcer à avorter.

« Est-ce que je ne peux pas…

— Non, lui répondit le médecin plus blasé que désolé.

— Vous êtes sûr qu'elle n'aura pas mal ? s'inquiéta Er'gaven.

— Certain, c'est une intervention bénigne. Elle passera simplement la nuit à l'infirmerie. »

La jeune femme tira sèchement sur sa chemise pour se couvrir et se racla la gorge, piquée d'être écartée de la conversation. Les deux hommes se tournèrent vers elle.

« Et si je voulais tenter le coup ?

— Alors je verrais deux issues. Soit vous feriez une fausse couche à cause de la magie qui s'insinuerait dans votre placenta et atteindrait le fœtus. Soit vous accoucheriez d'un enfant que la Pulsation tuerait en quelques minutes. Interrompre cette grossesse est la seule décision raisonnable pour vous et pour l'embryon, qui souffrirait dans les deux cas. »

L'argumentaire était bien rodé, mais une idée flottait dans l'esprit de la mage sans qu'elle n'ose la formuler. Que se passerait-il si elle rentrait chez elle, comme elle le voulait depuis le début ?

« J'ai besoin de temps », chuchota-t-elle.

Elle se leva, rajusta ses vêtements déchirés par les griffes des wendigo'wak et sortit, immédiatement suivie d'Er'gaven et d'Idriël. Son compagnon attrapa sa main pour l'arrêter.

« Il faut qu'on parle. »

Idriël adressa un sourire de compassion à Nathanaëlle et les laissa seuls dans le couloir. Les deux amants se faisaient face, séparés par un lourd silence.

Ce fut la jeune femme qui le brisa d'une voix qu'elle voulait assurée :

« Je veux garder cet enfant.

— Et le voir mourir dans tes bras ? rétorqua Er'gaven. Tu ne le supporterais pas et moi non plus. Ne nous inflige pas cette douleur Ysis, s'il te plaît…

— Il y a un autre moyen. »

Le jeune homme sembla sur le point de la contredire, mais il s'interrompit et son visage se ferma.

« Tu n'y penses pas ?

— Et pourquoi pas ? Qu'est-ce que j'ai à perdre ?

— Moi ! »

Er'gaven fixa sa compagne, mais elle ne répondit rien, une main posée sur son ventre.

« De toute façon, reprit-il plus accusateur, il serait stupide de se jeter dans la gueule de nos ennemis ! Les nains sont des barbares et ils te réduiront en pièces si tu t'approches. Si ça se trouve, leur Arche n'est qu'un mensonge pour attirer les plus naïfs. »

Il prit la main sur son ventre, l'enveloppa dans les siennes et se radoucit.

« Je refuse de te laisser te livrer à la mort comme ça. Je… Je t'aime. »

Nathanaëlle sentit son cœur se serrer. Il le lui disait tellement peu souvent. Fallait-il donc que ce soit dans leurs disputes qu'il soit le plus expressif sur ses sentiments ?

« On trouvera un autre moyen, continua-t-il. Quand la guerre sera finie, il n'y aura plus besoin de la communauté pour nous entraîner à la guerre. Nous pourrons adopter un enfant transféré. Tu seras mère si tu le veux, mais pas comme ça, pas maintenant. Nous sommes trop jeunes. »

L'idée de voler un enfant à sa famille sur Terre pour l'élever ici révoltait Nathanaëlle. Mais elle ne contredit pas le jeune homme sur ce point. Cela n'aurait servi à rien.

« Si les nains parlent d'une arche alors même qu'ils nous haïssent, elle doit exister, argua-t-elle plutôt. Ils ne laisseraient jamais des dragons passer les portes d'Ankor si ce n'est pour fuir ce monde ! Je ne veux pas te perdre Er'. Viens avec moi. Retournons chez nous, là où rien d'autre que notre sang ne coule dans nos veines.

— Non… Ce sont les Follets qui…

— Tu n'en sais rien et la prêtresse non plus ! cracha Nathanaëlle, presque avec mépris. Tu n'as pas le droit de m'enfermer ici sous le couvert de tes croyances.

— Et pourtant je te protégerai, malgré toi s'il le faut. »

Nathanaëlle pouffa et secoua la tête, ses lèvres tordues en un rictus de dégoût. Elle avait toujours su qu'Er'gaven aimait contrôler la situation, mais c'était la fois de trop.

« J'ai aimé ton côté chevalier servant quand je suis arrivée, mais là… Ce n'est plus quelqu'un de brave que j'ai devant moi, c'est un pleutre qui n'osera jamais désobéir à un peuple qui n'est même pas le sien. Tu leur fais une confiance aveugle alors que tu n'as rien vu du monde si ce n'est ces montagnes hostiles où des monstres nous forcent à nous cacher la moitié de l'année ! Si tu veux la gloire et les honneurs au combat, je t'en prie. Mais tout ça n'est pas pour moi. »

La jeune femme détourna le regard et s'éloigna d'un pas rapide. Des larmes coulaient sur joues rougies de colère. Puisque Er'gaven était décidé à l'empêcher de partir, elle allait devoir aller frapper à la porte d'Idriël.

***

La porte du placard dans lequel Idriël fouillait claqua bruyamment. Il sursauta et vérifia qu'il était toujours seul. Il glissa alors les lamelles de viandes séchées dans le sac en toile posé à ses pieds. Fouinant encore dans la cuisine, il trouva du pain de vehnä, quelques baies – sèches, elles aussi – et il remplit une gourde de lait de dahu. Enfin, au milieu des vivres et des quelques vêtements, il rangea un couteau bien aiguisé, un bol, une cuillère de bois et une carte d'Eowhull roulée avec précaution.

Il allait faire la plus grosse bêtise de sa vie et ce n'était pas pour amuser les cadets. Le départ de son amie était précipité, beaucoup trop à vrai dire. Mais c'est comme ça qu'elle était, impulsive, et rien n'aurait pu la dissuader de partir. Il avait pourtant tout essayé : la peur des wendigo'wak, de la faim, de se perdre, le chantage affectif, la menace de la colère des Infernaux… Rien à faire. Elle était plus têtue qu'un dahu. Idriël sentait sa gorge se serrer à l'idée de la laisser partir, mais quitte à ce qu'elle prenne ce risque monumental, il voulait au moins être là pour l'aider, quitte à affronter le courroux d'Er'gaven s'il découvrait un jour son implication dans la supercherie qu'ils préparaient.

L'adolescent traversa la cour rapidement, adressant un sourire maladroit aux enfants qui l'interpellaient. Ce n'est qu'une fois la porte de la communauté refermée derrière lui qu'il s'autorisa à ralentir.

Le cimetière se trouvait à l'opposé de l'entrée principale de la communauté, à la limite de la zone de confinement. Nathanaëlle était déjà là, une pelle dans les mains et les pieds couverts de terre.

La sueur coulait sur son front malgré le vent froid et l'air humide. La jeune femme le salua d'un hochement de tête rapide et se remit à creuser. Ses bras tremblaient et Idriël ne savait pas si c'était à cause de l'effort qu'elle devait fournir pour déblayer le sol rocailleux ou de l'effroi de profaner une tombe.

Les sépultures n'étaient décorées que d'une pancarte avec le nom de l'enfant ou de l'adolescent – les adultes mourraient à la guerre, pas dans les montagnes. Un cercle accompagnait les lettres maladroites. Il n'y avait pas de croix chrétienne, d'étoile de David ou de lune avec une étoile. Les Follets étaient les seules divinités admises en Eowhull.

Idriël se baissa pour ramasser la pancarte que Nathanaëlle avait dû arracher au sol et l'épousseta. Il connaissait le prénom ciselé sur la planche mal coupée. Il avait connu Ald'rhis et se souvenait qu'elle avait à peu près la même taille que Nathanaëlle.

***

La jeune femme devait lutter contre elle-même pour ne pas jeter la pelle au loin et fuir cet endroit sinistre. Elle pestait en silence contre les racines des mauvaises herbes et réprimait sa douleur lorsque son outil frappait une pierre et qu'elle remontait jusqu'à son épaule. Elle creusait vite et avec rage, comme pour oublier ce qu'elle faisait.

Ce n'était pas sa faute, se répétait-elle. Elle n'aurait pas eu à exhumer ce corps et à mentir à tout le monde si les elfes ne les enfermaient pas au sommet de ces maudites montagnes. Après tout, ce n'est pas parce que leurs incantations amenaient les humains en Eowhull qu'ils devaient leur appartenir. Si la mage voulait rentrer chez elle, personne n'avait le droit de l'en empêcher. Ces pensées tournaient en boucle dans son esprit en véritable leitmotiv.

« Tu veux que je prenne le relais ? proposa Idriël.

— Non. »

Le jeune homme en faisait déjà beaucoup trop.

La pelle se faisait de plus en plus lourde, mais Nathanaëlle ne fut pas soulagée de découvrir la couleur encore claire des os d'Ald'rhis. Elle s'agenouilla et continua à déblayer les ossements marqués de profondes marques de crocs.

Comme presque tous ceux qui avaient été inhumés dans ce cimetière, la pauvre adolescente avait été dévorée par une meute de wendigo'wak affamés. Ces créatures étaient tellement voraces qu'elles rongeaient leurs victimes jusqu'à l'os, ne laissant ni lambeaux de chair, ni tendons, ni la moindre goutte de sang. Idriël n'aurait aucun mal à faire croire qu'il s'agissait de la dépouille de son amie.

***

Le jeune homme apporta d'ailleurs une partie des vêtements qu'il avait volé et les déchira avant de les entourer délicatement autour des os. Il saisit le couteau et l'approcha de son bras.

« C'est à moi de verser mon sang, l'arrêta Nathanaëlle.

— Tu es enceinte et en fuite, il est hors de question que tu t'affaiblisses. Messire Sayr'ha me réparera ça en moins de deux et je pourrai faire croire que je me suis battu avec un wendigo'wak tardif qui n'avait pas fini de festoyer. »

Sans plus attendre, l'adolescent se dessina trois longues entailles en travers de l'avant-bras. Il répandit alors le sang sur le linceul improvisé. Pour une fois, aucune blague ne lui vint à l'esprit.

« Il faut que tu partes maintenant, dit-il à son amie. Je vais reboucher le trou. Le plus loin tu seras quand… j'annoncerai ta mort, le mieux ce sera. »

Le jeune homme avait la gorge serrée rien qu'à l'idée d'imaginer son amie seule en dehors de la limite autorisée. Il l'imaginait se faire dévorer – pour de vrai cette fois – ou tomber au fond d'un ravin. Malgré le mensonge qu'il devrait porter, la peine qu'il afficherait ne serait pas feinte. Pourtant, il ne partagea pas ses angoisses à la jeune mage. Il avait déjà essayé, elle ne l'écouterait pas plus maintenant. Il resserra son écharpe élimée et plongea son regard dans celui de son amie.

« J'espère que tu seras une maman heureuse.

— Je ferai tout pour, je te le promets », répondit Nathanaëlle.

La jeune mage saisit le sac à dos et l'ajusta sur ses épaules. Elle était prête.

***

Un silence de plomb tomba dans la cour. Idriël s'avança d'un pas traînant, la mine défaite et les yeux inondés de larmes. Il tenait dans ses bras crispés un linceul ensanglanté. Arthaer ne pouvait pas voir la scène, mais il sentait les auras de ceux qui se regroupaient déjà autour de l'adolescent. Les sons et les odeurs complétaient le tableau.

Le jeune druide fut surpris de ne pas sentir les restes de l'aura de la victime. Il aurait dû pouvoir l'identifier avant tout le monde, mais il ne détectait pas le moindre effluve de magie. Idriël commença à parler. Sa voix tremblait, il bafouillait. Un regroupement s'était formé autour de lui et tous mettaient cet émoi sur le compte du traumatisme. Certains pleuraient.

***

Er'gaven était raide et livide, comme si son cœur s'était arrêté de battre et avait figé tout son être. Seule sa mâchoire inférieure tremblait. Il aurait voulu croire qu'Idriël mentait, que Nathanaëlle avait fui, mais les ossements étaient trop réels pour de telles affabulations.

***

Arthaer sourit. Alors que tout le monde passait devant lui sans le voir, lui sentait tout. Et les pièces du puzzle venaient de s'emboîter : Nathanaëlle n'était pas morte.

Il se leva et se mêla à la foule qui s'écarta sur son passage comme s'il était un pestiféré. Il se plaça face à Idriël et continua de sourire. Il savait que le jeune menteur saurait comprendre ce rictus.

« Et c'est à ce moment que… J'ai senti leur odeur et que j'ai entendu le dernier de la meute qui… »

L'adolescent avait les yeux braqués sur Arthaer et son récit devenait de plus en plus décousu. Alors que l'elfe se repaissait de sa détresse – Idriël l'avait si souvent évité et s'était sûrement moqué de lui avec les enfants –, une idée naquit dans son esprit.

Son sourire moqueur devint songeur et il se déconcentra du discours de l'adolescent, maintenant entouré de la communauté au complet. Elle lui parut d'abord absurde, mais plus il y pensait et plus il était convaincu qu'il était l'heure pour lui de tenter sa chance. Après tout, la jeune femme était à pied puisqu'aucune monture ne manquerait, au risque de vendre la mèche. Si l'elfe volait un istrief, il la retrouverait avant que son aura ne s'efface complètement.

Sans plus attendre, l'elfe se fraya un chemin jusqu'à l'imposante porte de bois. Il l'ouvrit et la referma sans que personne n'y prête attention, trop concentrés qu'ils étaient sur des ossements vieux de trois ans maintenant.

***

Le ciel s'était couvert de lourds nuages gris, l'orage grondait. Nathanaëlle marchait depuis plusieurs heures. Elle descendait vers la vallée où les wendigo'wak ne la menaceraient plus. Le sol était escarpé, la jeune femme devait parfois progresser accroupie pour ne pas glisser sur les pierres humides. Pour ne rien arranger, des vertiges la prenaient régulièrement, manquant chaque fois de la faire dévaler la pente.

Pourtant, la mage se forçait à continuer d'avancer, autant pour fuir les prédateurs que le père de son futur enfant. S'il apprenait la vérité, il ne supporterait pas de la savoir seule et en danger, il pourrait bien la préférer enfermée, mais en sécurité.

Malgré la conviction profonde que Er'gaven essayait de maintenir sur elle un contrôle presque malsain, Nathanaëlle ne pouvait retenir ses larmes. Le jeune homme était parfois rustre, mais il l'aimait et elle l'aimait en retour. S'éloigner de lui, alors même qu'elle portait son enfant, ne faisait qu'accentuer ses nausées. Qu'aurait-elle donné pour qu'il l'accompagne ? Qu'il passe ses bras musclés autour d'elle et qu'il la rassure ?

La pluie se mit soudain à tomber et un éclair déchira le ciel. Des trombes d'eau se déversaient sur les flancs de la montagne. Nathanaëlle prit son sac dans ses bras et se courba pour le protéger de l'orage. L'eau froide coulait sur ses cheveux courts et dans son cou.

Elle jeta des regards vifs autour d'elle. Il n'y avait que des buissons rachitiques. Rien d'autre. Les pierres trempées glissaient comme du savon, courir pour trouver refuge aurait été stupide. La mage se recroquevilla sur elle-même et se mit sur la pointe des pieds. Elle avait le vague souvenir d'avoir reçu ce conseil de son père.

Entre deux coups de tonnerre, un bruit d'éternuement lui glaça le sang. Elle était à découvert. Elle hésita à continuer sa fuite, malgré l'averse, mais la foudre tombait à intervalles réguliers, de plus en plus vite suivie par un grondement menaçant. Un rire nerveux secoua la jeune femme quand un lapin au nez de taupe avec une crête de coq et de minuscules ailes détala devant elle. Le tinger disparut aussi vite qu'il était apparu.

Le soulagement de la jeune femme fut pourtant de courte durée : des sabots piétinaient les roches au-dessus d'elle. Elle pensa d'abord qu'un istrief, effrayé par l'orage, s'était échappé, mais les pas de l'animal étaient réguliers, beaucoup trop pour un animal paniqué, et il ne hululait pas. Cette fois, Nathanaëlle n'hésita plus et s'élança, son sac serré contre sa poitrine.

Ses pieds ripèrent et dérapèrent, mais dans son élan, rien n'aurait pu l'arrêter. Derrière elle, les sabots frappaient avec plus de rythme. La foudre aveugla la jeune femme un instant et elle vit un arbuste prendre feu, puis s'éteindre, immédiatement noyé sous la pluie diluvienne.

Une voix lui parvint soudain, aiguë, assourdie par le vacarme ambiant. Ce n'était pas Er'gaven, mais peut-être était-ce la prêtresse qui voulait la ramener sur le droit chemin. La jeune femme accéléra encore. Plus d'une fois, elle faillit se tordre la cheville. Le fond de vallée, creusé par une rivière, était visible. La végétation y était plus dense. Mais la mage n'eut pas le temps de l'atteindre. Une ombre lui barra soudainement la route et elle tomba en arrière.

« Montez ! » lui ordonna le cavalier.

Nathanaëlle reconnut soudain la voix enfantine, et la main fine qui se tendait vers elle : c'était Arthaer, le gamin solitaire. Il se maintenait tant bien que mal sur l'échine d'un istrief qui semblait être le véritable maître de la situation.

« Hors de question que je retourne là-bas ! hurla la mage.

— Pareil pour moi ! »

Interloquée, la jeune femme se figea un instant puis se releva et se hissa sur la croupe de la monture.

« Je connais une grotte quelques mètres en amont. »

Nathanaëlle aurait voulu protester, crier qu'elle ne ferait jamais demi-tour, mais l'istrief obéissait déjà au druide dans un hululement, faisant rouler les cailloux les plus instables sous ses sabots.

Arthaer n'avait pas menti. La caverne était si basse que ni Nathanaëlle ni l'istrief ne tenaient debout, mais elle était profonde. La foudre qui frappait dehors ne les atteindrait pas ici. Pourtant, ce n'était pas ce qui inquiétait Nathanaëlle en cet instant. Accroupie sous la roche, elle s'enquit :

« Comment as-tu su ? Pourquoi es-tu là ?

— Aucune aura ne s'échappait des os. C'est aussi comme ça que je vous ai trouvée, votre aura. Vous les humains, vous laissez plein de traînées de magie derrière vous. Et c'est encore pire quand vous avez peur !

— Si tu l'as senti, messire Sayr'ha saura aussi ! paniqua la jeune femme.

— Lui ? Il ne m'arrive pas à la cheville pour détecter la magie ! »

La mage souffla doucement. Elle s'autorisa à s'asseoir sur le sol boueux et continua son interrogatoire :

« Qu'as-tu dit aux autres ?

— À qui vouliez-vous que j'en parle ? Ils me fuient tous comme la peste, ironisa l'elfe.

— Tu ne m'as pas répondu tout à l'heure. Qu'est-ce que tu fais ici ? »

Nathanaëlle relâcha un peu sa garde, mais conserva son air autoritaire malgré l'eau qui lui dégoulinait jusqu'au bout du nez. L'elfe releva la tête vers elle, comme s'il avait pu la voir malgré ses yeux d'un blanc laiteux.

« Je viens avec vous.

— Tu ne peux pas.

— Et pourquoi ça ? demanda insolemment le jeune druide.

— Je me suis faite passée pour morte, pas toi ! Ils vont te chercher partout et te trouver, et moi avec !

— Personne ne veut de moi là-bas. Je ne suis plus là ? Bon débarras ! D'autres réticences ?

— Je vais en Ankor... soupira la jeune femme.

— Je le sais bien. »

Nathanaëlle passa une main sur son visage trempé et soupira. Elle reprit en détachant bien toutes les syllabes pour souligner l'évidence du problème :

« Dois-je te rappeler que les nains sont en guerre avec ton peuple ?

— Avec le tien aussi. »

Cette fois, la mage ne trouva rien à répondre. Après tout, si le gamin voulait prendre le risque de finir en prisonnier de guerre, ce n'était pas son problème. C'était toujours mieux que s'il retournait à la communauté dévoiler sa manigance. Elle hocha vaguement la tête.

« Merci dame Ysis !

— Appelle-moi Nathanaëlle. Je ne veux ni titre ni prénom elfique. »

Une fois l'averse passée, le duo ainsi formé se prépara à repartir. Ils changèrent leurs vêtements trempés et l'elfe emprunta une tenue de la jeune femme. Quand Nathanaëlle se retourna pour voir s'il avait fini, elle ne put s'empêcher de pouffer. Le pantalon s'évasait en nombreux plis sur ses pieds et la tunique lui donnait des airs d'épouvantails. Arthaer lui tira alors la langue puis sauta sur la croupe de leur monture, prénommée Ast, bientôt suivi par la mage.

L'istrief avança à pas prudents sur les pierres humides du flanc de montagne, mais se mit à trottiner dès qu'il atteignit le sol plus verdoyant de la vallée. Nathanaëlle n'avait jamais appris à monter et elle s'accrochait tant qu'elle le pouvait à la longe de l'animal, qui n'avait évidemment ni selle ni bride. Un simple licol entourait le long museau d'où pendaient des excroissances de chair nue et fripée. Derrière elle, Arthaer serrait fort sa tunique. Lui non plus n'était pas cavalier.

Une nausée soudaine remua l'estomac de la mage et elle n'aurait su dire si c'était les ballottements de la monture ou sa condition de femme enceinte qui en était la cause. Son voyage ne commençait pas de la meilleure des façons.

Encore une fois, Arthaer avait raison. Personne ne les avait cherchés – ou en tout cas personne ne les avait trouvés. Pourtant, Nathanaëlle était toujours inquiète et sursautait au moindre bruit derrière eux, du bruissement des feuilles d'un buisson à l'envol maladroit d'un charognard des Rocheuses.

Ces oiseaux énormes n'avaient rien à envier aux vautours terrestres. Leur bec long et recourbé leur permettait de fouiller dans les carcasses et leur plumage aux couleurs changeantes entre un bleu pâle et des nuances de gris les rendait presque imperceptibles en vol, quel que soit le temps.

Eos descendait dans le ciel, mais la jeune femme refusait de s'arrêter tant qu'ils ne seraient pas arrivés à la lisière de la Sylve. Ils devraient alors traverser plus de cent kilomètres de forêt en évitant les cités elfiques avant d'arriver enfin au désert des Cendres.

C'était la Première Guerre des Mages qui avait créé l'étendue noire. L'excédent de magie qui avait été déployé sur plus d'un tiers de la surface de la planète d'Eowhull s'était accumulé dans l'air avant de retomber sous la forme d'une fine poussière qui avait tout recouvert. Les villes ravagées n'avaient pas pu être reconstruites, les soldats tombés au combat n'avaient pas eu de funérailles et plus rien n'avait poussé sur cette substance stérile. Des créatures étaient apparues peu à peu, comme sorties de la cendre. Nathanaëlle avait appris que c'était les Follets qui avaient créé ces êtres symboles de renouveau.

Parmi ces créatures, les saurials étaient les plus intelligents. Humanoïdes recouverts d'écailles et à la face reptilienne, ils s'étaient imposés comme marchands nomades reliant Ankor et la Sylve. Ils avaient aussi essayé de faire commerce avec les Terres Sauvages, plus au nord, mais ni les trolls, ni les lycanthropes n'avaient quoi que ce soit à vendre.

Nathanaëlle ne savait pas combien de temps cette traversée du désert durerait. Tout ce dont elle était sûre, c'est que sa place était de l'autre côté de l'Arche.

III

Er'gaven poussa un battant de la lourde porte de la communauté, laissant une trace de sang sur le bois. Ses boucles brunes, trempées, étaient plaquées sur son front. Son épée pendait lourdement à son côté. Son regard las se posa sur Idriël, assis par terre, les genoux dans ses bras.

« Je suis de retour, lança le jeune homme, laconique. Et ce n'est pas mon sang. »

Le blondinet eut un sourire triste et quitta son poste en silence.

Er'gaven fixa le couloir pendant de longues secondes après que l'adolescent eut disparu. Le claquement de la porte derrière lui le ramena à la réalité. Sans volonté, il traîna son propre corps jusqu'aux douches communes. À cette heure, personne n'y serait.

Le jeune homme détacha sa ceinture et laissa tomber son arme sur le carrelage usé de la salle d'eau. Il retira ses vêtements souillés de sang de wendigo et les roula en boule. Ses gestes étaient lents, ses épaules voûtées. Il s'appuya sur un lavabo et se regarda dans le miroir. Des taches rouges, presque brunes maculaient sa peau. Un instant, le visage de Nathanaëlle se superposa au sien. Elle souriait, malicieuse. Er'gaven ne verrait jamais plus ce sourire.

Il se glissa sous une douche et ouvrit le robinet. Le jet glacé vint heurter sa peau, son souffle fut coupé. Mais il avait l'habitude, l'eau venait de torrents de montagne en amont de la communauté. Elle n'était jamais chaude. L'eau de rivière coula sur sa nuque, son torse, ses jambes, entre les joints absents du carrelage, amenant avec elle le sang et la sueur du combat.

Er'gaven s'était vengé sur une meute, mais cela n'avait rien changé. Il suffisait d'une simple douche pour effacer tout le soulagement qu'il avait ressenti alors qu'il égorgeait et éventrait les monstres. Et maintenant qu'il était seul, que les coupables n'étaient plus, les pensées explosaient dans sa tête. Les regrets tournaient en boucle comme un phonographe figé dans une valse infinie.

Après tout, n'était-ce pas lui le coupable ? Ne l'avait-il pas poussée à sortir ? À s'éloigner de lui ? Qui était-il pour vouloir tuer son enfant ? *Leur* enfant ! Le jeune homme aurait voulu que l'eau soit plus froide encore, qu'elle lui brûle la peau. Il aurait voulu souffrir autant qu'elle avait souffert lorsqu'elle s'était fait dévorer.

Soudain, les larmes se mirent à couler. Er'gaven fut secoué de lourds sanglots qu'il n'essaya pas de réprimer. Il renifla bruyamment et gémit. Ses ongles griffèrent ses bras et il serra sa mâchoire si fort qu'il eut un instant peur de se casser les dents.

Il pleura longtemps. Il crut qu'il pleurerait toujours. Mais sa respiration se calma. Ses hoquets s'espacèrent, le laissant respirer entre les à-coups qui le secouaient. Il ne se sentait pas bien, loin de là. Mais il était trop épuisé pour penser. Seule la douleur le tenait encore debout. Il coupa l'eau, décrocha une serviette et s'enroula dedans. Puis, il s'assit sur le carrelage, le dos contre le mur, et s'endormit.

Si quelqu'un entra dans la salle de bain ce jour-là, il garda le silence.

Le lendemain, la brume couvrait encore les plus hauts sommets quand toute la communauté se réunit dans la chapelle. Les ossements furent placés au centre du triangle d'urnes. La voix de la prêtresse était aussi mélodieuse que d'habitude, mais pour la première fois Er'gaven la trouva d'une neutralité douloureuse. Pour elle, c'était une cérémonie ordinaire et le linceul à ses pieds n'était qu'un tissu poussiéreux.

Pourtant ce matin-là, le jeune homme pria comme il n'avait jamais prié. Il implora de tout son être les Follets de le pardonner. Lui qui avait causé la mort d'une pyromage, il promettait de devenir un soldat plus dévoué encore à ses bienfaiteurs les elfes. D'ailleurs, il avait décidé de partir dès le lendemain. Des hommes et des femmes en permission pour quelques jours repartaient sur le front et il les accompagnerait. Il aurait pu attendre encore un peu à l'abri dans ces montagnes, mais il ne supporterait plus les hurlements dans la nuit.

Au premier rang, des enfants pleuraient à chaudes larmes. Idriël les consolait. Er'gaven sentit sa détresse. Lui d'habitude si à l'aise avec les cadets était tendu, gêné de leurs étreintes humides. Il semblait sur le point de partir en courant. Er'gaven pensa que lui aussi aurait du mal à se relever d'une telle perte. Il ne s'en sentit que plus coupable encore.

Er'gaven avait demandé à porter le corps d'Ysis jusqu'au cimetière. Les os étaient douloureusement légers. Le bruit sourd lorsqu'ils s'entrechoquaient heurtait le jeune homme en plein cœur.

La pluie torrentielle de la veille avait détrempé le sol alors boueux, masquant la terre fraîchement retournée d'une vieille tombe. Il y avait creusé celle de sa compagne avant que le jour se lève. Elle n'était pas tombée au combat, son nom ne serait pas gravé dans l'écorce de l'Arbre-Tout-Seul. La communauté s'organisa en un cortège funéraire. Des enfants pleuraient toujours. D'autres, trop jeunes, marchaient dans cette longue procession sans comprendre. L'orage avait laissé une odeur de pétrichor, typique de la terre après la pluie. Les dahus tremblaient encore de terreur.

Au bout de la dernière rangée de tombes, un trou béant attendait les ossements de la jeune femme. Er'gaven s'agenouilla dans la boue et déposa son fardeau. Ses yeux étaient à nouveau secs, mais son cœur se serrait douloureusement.

La prêtresse s'avança, dans sa robe noire sulfureuse, et entonna des prières chantées. Sa voix d'abord presque inaudible s'éleva ensuite et rebondit en écho sur les flancs des monts environnants. Ceux qui connaissaient les liturgies mortuaires se joignirent à l'elfe. Le chant était aussi lugubre dans ses paroles que dans sa sonorité et il semblait que la Mort elle-même était là, avec sa faux, pour écouter ce dernier hommage.

« Que les Follets la guident et qu'ils éloignent les Infernaux. »

Les voix s'éteignirent. Dans le lourd silence, chacun se signa d'un cercle. Ysis n'était plus.

***

Les cadets jouaient dans la cour. Ils couraient, criaient, sautaient, comme si rien ne s'était passé. De temps à autre, un enfant éclatait en sanglots. L'elfe chargée de les surveiller s'approchait, lui murmurait quelques mots et à peine cinq minutes plus tard le bambin sautillait à nouveau. Idriël tressaillait à chaque crise de larmes. Les cadets avaient déjà tant perdu… Les maîtres et les elfes le regardaient avec compassion ou pitié. Lui se sentait pitoyable.

Mais qu'y pouvait-il ? Aurait-il dû refuser de laisser son amie tenter sa chance ? Il n'aurait de toute façon pas pu ! Face à sa détermination, ses réticences n'avaient pas tenu bien longtemps quand elle était venue le chercher. Mais l'adrénaline était retombée et l'angoisse lui tordait maintenant les tripes. Où était-elle ? Aurait-elle assez à manger ? Arriverait-elle à temps en Ankor ? Lui qui était si bavard devait mener un combat de titans contre lui-même pour garder le silence.

Er'gaven passa devant l'adolescent et le salua d'un signe de tête. Il rejoignait le front. Idriël savait qu'il était prêt. Son pas déjà militaire claquait sur les tomettes. Pourtant, il ne savait pas encore se transformer en dragon et combattre à terre était bien plus dangereux que dans les airs. Le blondinet priait en lui-même pour que les Follets le protègent.

Il ne s'imaginait pas lui-même marcher dans les pas des guerriers de l'Arbre-Tout-Seul. Il le faudrait pourtant. Peut-être aurait-il dû suivre Nathanaëlle ? Mais alors qui aurait maquillé leur départ ? Non, cela n'aurait pas été possible.

Er'gaven disparut derrière la lourde porte. Une vague de soulagement traversa Idriël, aussitôt troublée d'un manque terrible. Les deux jeunes gens n'avaient aucune amitié l'un pour l'autre, mais ils étaient tous deux liés à Nathanaëlle. Avec le départ d'Er'gaven, Idriël la voyait partir une seconde fois.

Fihin, une petite fille qui ressemblait à une poupée de porcelaine, vint lui tirer la manche pour l'entraîner dans une partie de « wendigo'wak contre pyromage » et l'adolescent se détourna à regret de la porte. Elle ne s'ouvrirait pas miraculeusement sur son amie.

Quelques minutes plus tard, trois dragons majestueux étendirent leurs ailes diaphanes dans les cieux. Er'gaven, juché sur le dos de l'un d'eux, ne se retourna pas.

IV

Une nuit était passée et une deuxième journée s'achevait. Les ombres s'allongeaient et bientôt Sélénée baignerait le ciel d'une lueur orangée. Les deux voyageurs avaient mangé sans même s'arrêter et seul Arthaer avait pu faire un somme. Nathanaëlle gardait les yeux bien ouverts, à l'affût du moindre mouvement. La végétation changeait. Les buissons et les herbes hautes disparaissaient au profit d'arbres frêles. Les terres boisées des elfes n'étaient plus très loin.

Dans son dos, Nathanaëlle sentait les bras d'Arthaer se relâcher, il s'était rendormi. Depuis leur départ, le druide était resté silencieux. La jeune femme aurait voulu continuer de chevaucher encore quelques heures pour entrer sous le couvert de la Sylve de nuit, mais elle était épuisée. Sa nausée allait et venait, des crampes la tiraillaient et des spasmes tordaient les muscles de son dos et de son bassin. D'ailleurs, Ast n'était pas en meilleur état. Après sa cavale de la veille, il peinait à supporter le poids des deux voyageurs et de leurs provisions. La fourrure trempée et le museau bas, il était au bout de ses forces.

La jeune femme donna un léger coup de coude derrière elle pour réveiller Arthaer et fit s'arrêter Ast. En grognant, elle se laissa glisser de l'istrief.

« Est-ce que tu as aussi mal que moi ? demanda-t-elle à son compagnon de voyage.

— Oui… »

L'enfant massait ses mollets et grimaça quand il se redressa. Il semblait bien moins hardi que la veille.

« Si tu ne veux pas subir ça pendant des semaines, c'est ta dernière chance, le prévint la mage.

— Non merci. »

L'elfe reprit son air défiant puis se renferma dans son silence.

Avec un haussement d'épaules, Nathanaëlle s'assit par terre. L'herbe était humide, de petites fleurs jaunes pointaient le bout de leurs pétales. Elle ouvrit son sac et réalisa qu'un problème se posait. Tant qu'ils chevauchaient, la jeune femme n'avait pas prêté attention à la demande d'Arthaer de partager ses provisions, mais maintenant… Elle se tourna vers l'elfe et soupira :

« Tu n'as pas apporté de nourriture. »

Le visage déjà pâle de l'enfant blêmit. Il se mit à mordiller ses lèvres bleutées.

« Alors, je ne peux pas venir ?

— Je ne sais pas », avoua la mage.

Nathanaëlle savait que ses vivres ne tiendraient pas jusqu'à son arrivée à Ankor, même seule. Idriël avait réussi à dérober quelques cubes de monnaie qu'il avait glissés dans son sac et elle prévoyait de les utiliser pour commercer avec les saurials qu'elle croiserait. Cependant, une autre bouche à nourrir, ce n'était pas rien. Aurait-elle suffisamment d'argent pour subvenir à leurs besoins à tous les deux ? Rien n'était moins sûr. Mais quelles solutions s'offraient à elle ? Renvoyer Arthaer ? L'enfant avait beau faire le fier quand la jeune femme lui posait des questions, il était clair qu'il craignait de rentrer à la communauté.

« Pourquoi veux-tu partir ?

— Pour trouver ma place.

— Et tu penses qu'elle est au milieu des nains ? s'étonna Nathanaëlle.

— Les elfes m'ont banni de leur royaume, les humains me fuient comme la peste, les saurials sont en contact avec les elfes, les lycanthropes vivent en meutes plus fermées que la noblesse sylvaine. Si j'ai la moindre chance d'être accepté quelque part, c'est auprès de ceux qui méprisent le plus les Follets et les Infernaux : les nains. »

L'argumentaire était simple, mais risqué. Rien ne disait que les nains seraient plus cléments que les autres peuples d'Eowhull. Arthaer le savait et Nathanaëlle le sentait prêt à se jeter dans la gueule du loup s'il avait une chance, même infime, qu'elle ne se referme pas sur lui. Au fond, ils n'étaient pas si différents.

L'enfant était bien plus mature qu'il ne le paraissait. Et pour cause, s'il avait la taille d'un adolescent de douze ans à peine, Arthaer était déjà trentenaire. Trois décennies qu'il croupissait dans un pastiche de monastère avec des gamins qui ne lui adressaient pas la parole.

Les elfes grandissaient très différemment des humains. Leur corps et leur esprit changeaient plus lentement, mais leur intelligence n'était pas moindre et leurs souvenirs s'amoncelaient aussi vite que ceux d'un humain. Ils gardaient plus longtemps leur âme et leur maturité émotionnelle d'enfant, mais n'en étaient déjà plus tout à fait quand ils passaient leur vingtaine.

Nathanaëlle savait cela, mais elle l'oubliait facilement face au visage enfantin d'Arthaer. Cette réponse le lui avait rappelé.

« Tu devrais me tutoyer, dit-elle d'abord. Tu es plus vieux que moi !

— Est-ce que ça veut dire que je peux venir quand même ?

— Oui. »

Arthaer sourit et s'assit en face d'elle. Malgré son regard vide, il semblait n'avoir aucune difficulté à se repérer dans l'espace.

« Comment fais-tu ? lui demanda la mage.

— Pour quoi ?

— Pour voir !

— Oh, ça ! Eh bien… Je détecte l'aura et les Pulsations comme personne. Et puis, j'émets des… des filaments de magie. Quand ils touchent quelque chose, je le sens. Alors, je devine les formes qui m'entourent. Si j'ai suffisamment de temps, je peux percevoir les détails d'un visage.

— Mais alors, s'étonna la jeune femme, être aveugle ne te handicape pas ? Enfin… Ta vie n'est pas vraiment changée par ta cécité ? »

L'enfant grimaça, mal à l'aise.

« Je ne sais pas si on peut blâmer les Infernaux, mais les Sages ont raison, je n'ai pas la même magie que les autres… »

La joie avait quitté le visage de l'elfe et la jeune femme décida de ne pas insister. Ils auraient bien le temps d'apprendre à se connaître pendant les prochaines semaines. Elle sortit le lait de dahu et le pain de vehnä, les partagea et se mit à manger. Le silence était retombé sur la vallée.

Les pensées de Nathanaëlle allaient à la communauté, à Er'gaven. Son regard vert et ses mains rugueuses lui manquaient déjà. Elle savait qu'il ne la taquinerait plus, qu'ils ne contempleraient plus le ciel étoilé ensemble. Comment avait-il accueilli la nouvelle de sa mort ? La question en elle-même déchirait le cœur de la jeune femme. Imaginer l'homme qu'elle aimait pleurer au-dessus d'ossements qu'il croyait être les siens lui coupait le souffle. C'était pourtant elle qui avait décidé de ce plan, elle qui avait décidé de partir. C'était encore pire.

Une unique pensée l'empêchait de faire demi-tour : Er'gaven aurait pu décider de la suivre. Il aurait pu s'opposer au verdict de messire Sayr'ha. Pourquoi fallait-il qu'il place une telle foi en les elfes et les Follets ?

Les premiers rayons d'Eos réveillèrent Nathanaëlle. Sans bruit, elle avala sans appétit quelques baies et finit le lait de dahu. Une rivière coulait au fond de la vallée, elle y remplit sa gourde. Puis elle y mena Ast, qui broutait les herbes folles, pour qu'il se désaltère avant de partir. Ces gestes simples gardaient son esprit à l'écart des regrets qui l'avaient traversée la veille.

L'aube était encore pâle quand la jeune femme réveilla Arthaer. L'elfe se leva en chancelant, ses jambes le portaient à peine. Nathanaëlle n'en menait pas large non plus, mais elle se hissa sur le dos de l'istrief en réprimant une grimace et tendit sa main à l'enfant. Sans plainte, il reprit sa place, il mangerait en chevauchant.

Eos était haut dans le ciel. Déjà, autour des deux voyageurs, les arbres étaient plus robustes, leur tronc plus épais. Leurs branches prenaient leur origine à quelques centimètres du sol et montaient jusqu'à une dizaine de mètres de haut. Ils allaient devoir être plus vigilants.

Idriël avait pris soin de glisser une cape dans le sac de Nathanaëlle. Elle s'en couvrit et rabattit la large capuche. Arthaer n'en avait pas, mais il n'aurait qu'à faire semblant de dormir pour cacher ses yeux blancs. Bien sûr, la mage n'avait pas la voix mélodieuse et tintinnabulante d'une elfe, mais si on lui parlait, elle feindrait d'être enrouée. De toute façon, les nombreuses mèches dorées du druide devraient leur éviter toute question gênante.

À la mi-journée, les deux voyageurs croisèrent les premiers sylvains, des fermiers qui élevaient de grosses volailles avec une queue de serpent. Nathanaëlle sourit en découvrant l'allure des basilics. Elle avait déjà goûté leur viande et leurs œufs à la communauté, mais ils étaient bien plus ridicules quand ils étaient vivants.

Les fermiers les saluèrent de loin et la jeune femme leur adressa un signe de tête. Elle ne devait pas faire plus : les cheveux de ces elfes étaient entièrement argentés. Ils étaient d'une caste bien inférieure à celle d'Arthaer.

Enfin, la forêt se densifia. Une odeur d'humus chatouilla les narines du duo. Nathanaëlle voulait éviter les cités et il était hors de questions qu'ils dorment dans une auberge, mais elle resta sur le chemin de terre qui se dessinait dans les bois de la Sylve. Il aurait été bien plus suspect de s'en éloigner.

La jeune femme fut soulagée de croiser peu d'elfes. Quand elle en rencontrait malgré tout, les moins nobles s'inclinaient devant elle et ceux d'une plus haute naissance lui adressaient un signe de main distingué ou un hochement de tête.

Ce n'est qu'à l'approche de la cité de Rhun'riel que l'affluence augmenta. Heureusement, tous vaquaient à leurs occupations. Arthaer avait confié à la jeune femme qu'il venait d'une cité bien plus au nord de la Sylve – alors que les Rocheuses étaient sa limite sud –, aussi le risque qu'il soit reconnu était infime.

S'ils avaient voulu éviter la cité, les deux voyageurs auraient dû faire un long détour et Nathanaëlle voulait quitter la Sylve au plus vite. Chaque bruissement de feuille, chaque craquement de branche lui donnait un frisson d'adrénaline. Elle dirigea donc Ast sur la route qui traversait Rhun'riel.

Les murs des maisons de plain-pied étaient construits avec une sorte de brique aux couleurs pastelles. Leur toit était en bois clair. Pourtant, ce n'était pas ce qui attirait le regard de la mage, mais plutôt les sortes de nids et de cabanes qui parsemaient la cime des arbres.

Très vite, la jeune femme comprit que seuls les elfes les plus nobles avaient droit à une véritable maison. Les autres vivaient entre les branches, dans des cahutes qui manquaient d'aplomb. Les ponts qui reliaient certaines cabanes ployaient dangereusement. Les plus basses castes avaient certes une vue imprenable du ciel, mais Nathanaëlle aurait parié que les accidents n'étaient pas rares.

La jeune femme avait toujours le nez au vent quand elle sentit Arthaer lui donner un léger coup dans le dos. Elle pencha la tête et rajusta sa capuche. Un instant, elle avait presque oublié qu'elle n'avait rien à faire ici.

Ceci dit, il y avait aussi beaucoup à observer à sa hauteur. La rue était bondée d'elfes et de saurials. Nathanaëlle n'avait encore jamais vu de reptilien et elle fut fascinée par leur visage plat et l'intensité du jaune de leurs iris. Les sylvains, même si elle avait l'habitude de leurs oreilles pointues, étaient tout aussi captivants. Certains avaient des vêtements de toile comme ceux distribués à la communauté, mais d'autres avaient des robes et des tuniques beaucoup plus riches. Le tissu, brodé de motifs raffinés, glissait sur leurs épaules et sur leurs hanches sans un pli. Des pierres reflétant les rayons d'Eos pendaient à leur cou.

Les saurials ne semblaient pas tellement se mêler à eux, ils ne saluaient personne et marchaient d'un pas rapide. Certains étaient juchés sur des machines étranges. Ces assemblages de métal cuivré aux reflets étrangement bleutés ressemblaient à des squelettes d'istriefs. On pouvait voir leurs mécanismes tourner par à-coups discrets. Les engrenages semblaient mouillés, comme couverts d'un liquide incolore.

« Ce sont des équibots, murmura Arthaer. Ils fonctionnent grâce à de l'aura si pure qu'elle est liquide. »

Nathanaëlle eut un léger mouvement de recul. Si sa propre magie la brûlait chaque jour, qu'en serait-il de cette substance ?

Si des elfes montaient des istriefs comme le duo, les équibots semblaient réservés aux saurials. La mage fit part de son observation à son compagnon.

« Les saurials sont neutres. Les elfes et les nains ont promis de les laisser traverser le désert malgré les combats, mais il y a des conditions. Les saurials ne vendent aucune technologie naine aux sylvains et aucun remède ou onguent elfique aux nains. Bien sûr, il y a de la contrebande, mais elle doit rester discrète si les saurials ne veulent pas perdre leur territoire.

— S'ils ne vendent ni arme ni soin, quel commerce peuvent-ils bien faire ?

— De la nourriture, du bois, du métal… La Sylve et Ankor sont très différents et les richesses de l'un ne sont pas celles de l'autre. D'autant plus depuis que le désert a recouvert plus de la moitié des terres cultivables. La vehnä ne pousse pas bien chez les nains et ils n'ont rien d'aussi nourrissant ni d'aussi bon pour faire de la bière. »

Après Rhun'riel, les deux voyageurs traversèrent une cité plus modeste. À ses abords, de nombreux elfes élevaient des basilics et des karyk'as. Ces créatures à la peau nue et fripée et au museau épais fouillaient le sol et le grattaient de leurs sabots. Les bêtes mangeaient tout ce qui n'était pas comestible pour les sylvains, à commencer par les tiges de vehnä. Le jour était encore clair, mais Nathanaëlle décida d'arrêter Ast près d'une de ces fermes.

« Que fait-on ? demanda Arthaer.

— On attend la nuit et on vole suffisamment de nourriture pour tenir un moment. Je préférerais être loin d'ici quand on fera commerce avec les saurials. »

Nathanaëlle se serait attendue à ce que l'enfant sautille d'excitation ou que, inquiet il se mure dans son silence habituel. Mais à la place, il fronça les sourcils, secoua la tête et déclara :

« C'est hors de question.

— Comment ?

— On ne peut pas cambrioler ces gens. Ils ne nous ont rien fait.

— Les elfes m'ont retenue captive pendant des années, d'accord ? J'ai dû fuir en secret parce que s'ils ne me considéraient pas comme morte, ils me chercheraient pour tuer la déserteuse que je suis. Alors que je n'ai rien fait moi non plus. Je n'ai rien demandé. »

Nathanaëlle détachait ses mots comme si elle s'adressait à un simple d'esprit.

« Et encore une fois, si tu ne veux pas m'accompagner, va-t'en ! Je ne t'ai rien demandé à toi non plus. Et c'est parce que tu es là qu'on manque de nourriture.

— C'est injuste, maintint l'elfe. Ce ne sont pas les fermiers qui prennent les décisions, ce sont les Sages. Ceux que tu vas voler aujourd'hui te nourrissent depuis ton arrivée.

— Je ne mourrai pas de faim pour la justice. Que tu m'aides ou non, nous aurons à manger. »

Arthaer baissa la tête. Il avait compris qu'il n'aurait pas voix au chapitre.

Nathanaëlle quant à elle, s'accroupit dans l'herbe et les feuilles mortes pour épier l'immense clairière. Une longère en bois et en terre lui cachait à moitié une grange au toit plus haut. Les basilics et les karyk'as allaient et venaient d'un grand cabanon qui devait sûrement avoir des fuites lorsqu'il pleuvait un peu trop fort.

Les derniers rayons d'Eos éclairaient la clairière quand une elfe au dos voûté sortit de la longère. Ses vêtements n'avaient pas le faste des toilettes des nobles, ils peinaient à cacher sa minceur. Elle était vieille, pensa Nathanaëlle, la vieillesse pouvait être la cause d'un amaigrissement. Et puis la silhouette des elfes était naturellement plus petite, mais aussi plus élancée que celle des humains. De toute façon, sa décision était prise. Si les sylvains tenaient tant à satisfaire les Follets, ils partageraient leurs provisions avec leur voisine.

L'elfe agitait d'ailleurs les bras pour pousser ses bêtes à rentrer dans leur cabanon. Le manège dura de longues minutes pendant lesquelles la fermière dut courir avec maladresse derrière sa trentaine de volailles, mais quand l'obscurité s'abattit sur la clairière, tout le monde était à l'intérieur.

Nathanaëlle aurait dû attendre que la lumière de la bougie – qu'elle distinguait à travers une fenêtre – s'éteigne. Pourtant, elle n'en eut pas la patience. Elle devait agir vite, comme on arrache d'un coup un pansement trop adhésif. Sinon, le regard accusateur d'Arthaer la ferait flancher. L'enfant ne l'avait pas quittée des yeux depuis qu'ils s'étaient arrêtés et Nathanaëlle savait qu'à défaut de la voir, il percevait le moindre de ses mouvements.

Toujours accroupie malgré ses courbatures, la pyromage sortit de son bosquet. Elle devait s'imaginer qu'elle préparait une bêtise avec Idriël, décida-t-elle. Ne pas penser à la vieille femme et à ses guenilles. La jeune femme se glissa le long de la bâtisse, se faufila sous les fenêtres, passa devant une porte que le vent léger faisait claquer régulièrement.

Le sol était pierreux, couvert de tiges de vehnä piétinées par le bétail. Le tas de fumier près de la grange exhalait une odeur forte. La grange n'était plus qu'à quelques pas. C'était un bâtiment massif, bien plus solide que le cabanon et même que la longère : la nourriture qu'il devait abriter était trop importante pour prendre l'eau.

Nathanaëlle s'avança et se releva quand elle fut devant la porte. Elle souleva avec peine la barre de bois qui la maintenait fermée puis entreprit de l'ouvrir. Le bois craqua et les charnières grincèrent. La jeune femme suspendit son geste, mais les basilics l'avaient entendue et ils caquetaient maintenant avec vigueur. D'un bond, la mage plongea dans l'ombre et se figea.

Elle resta ainsi jusqu'à ce que le silence se fasse à nouveau. La fermière devait avoir l'habitude du vacarme de ses bêtes, car elle n'était pas sortie. Avec toutes les précautions du monde, Nathanaëlle quitta sa cachette et revint près de la porte. Elle jeta un regard à l'intérieur et fit la moue.

Ce n'était que la réserve de nourriture pour les animaux. Il y avait là des sacs de graines, de foin, un énorme seau rempli de baies pourries, de pain rassis et de couenne trop dure pour être mangée. Déçue, la mage se glissa tout de même dans entrebâillement et tassa de grosses poignées de tiges de vehnä dans son baluchon. Ast aussi avait besoin de se nourrir et dans le désert, il serait bien incapable de paître. En sortant, la jeune femme ne se risqua pas à repousser le battant de bois et se tourna plutôt vers la longère. La bougie brûlait toujours.

V

Nathanaëlle se réveilla en sursaut. Elle mit quelques secondes à se souvenir où elle était. Cette fois, la bougie était éteinte. En retenant un grognement, la jeune femme étira ses jambes et se frotta les yeux. Des picotements fourmillaient dans ses pieds.

Elle se demanda combien de temps elle avait dormi. D'après le goût de sommeil qui faisait comme une pâte dans sa bouche, ce n'avait pas été une courte sieste. Un regard vers le ciel lui confirma ses craintes : Sélénée redescendait déjà vers l'horizon. Si la mage voulait être loin d'ici quand la fermière se réveillerait, elle devait agir vite.

Le vent soufflait cette nuit-là et la porte tapait toujours contre son battant. À la lueur orangée de l'astre de la nuit, Nathanaëlle en fit tourner la poignée et se faufila dans l'entrebâillement. La fenêtre de la pièce était étroite, la jeune femme ne distinguait que des ombres autour d'elle. Elle devinait une table, deux chaises, une canne posée contre un fourneau.

Avec mille précautions, la mage traversa la petite cuisine, suivie par les légers grincements du parquet. La porte vers la réserve était ouverte. Nathanaëlle se saisit d'un sac de toile posé dans un coin et se mit à le remplir d'œufs de basilic, de pain de vehnä, de viande séchée qu'elle pensait être de karyk'as.

Quand elle eut fini, les petites étagères étaient vides. La vieille sylvaine avait encore ses animaux, pensa la mage. Elle chassa de ses pensées ce qu'Arthaer lui avait dit, les impôts que devait payer la fermière aux Sages de sa cité. Aussi silencieusement qu'elle était entrée, la jeune femme fuit la longère.

Lorsque l'aube teinta le ciel de rose, Ast et ses deux cavaliers étaient déjà bien loin de la ferme. Affamée, Nathanaëlle décida de s'arrêter au bord d'une rivière. Arthaer n'avait pas dit un mot depuis leur départ. L'eau était fraîche, un vent léger s'engouffrait sous le couvert des arbres. La jeune femme remplit leur gourde et entreprit de faire une toilette rapide. Son compagnon de voyage l'imita en silence. Les deux voyageurs se tournaient le dos.

Quand elle retira sa tunique aux relents de sueur, Nathanaëlle regarda son ventre. Si elle n'avait pas eu la nausée encore ce matin-là, elle n'aurait pas cru être enceinte.

Messire Sayr'ha avait dit que c'était récent, mais récent comment ? Et puis, il avait pu mentir pour qu'elle ne se sente pas coupable d'enlever la vie à un être déjà bien vivant. Le choix aurait dû lui revenir, quels que soient les risques…

Le mensonge potentiel de l'infirmier amenait une autre question, angoissante : combien de temps avait-elle réellement avant que cet être ne sorte de son cocon de chair et ne soit tué par l'aura ?

Ses estimations, réalisées grâce à la carte jaunie dérobée par Idriël, n'étaient pas rassurantes. Il lui faudrait plusieurs mois pour traverser l'immense désert. Et c'était sans compter le fait d'éviter d'éventuels champs de bataille sur leur chemin ou le risque d'une fausse couche causée par l'aura… Pourtant, Nathanaëlle refusait de perdre espoir. Pas si tôt, pas après avoir abandonné derrière elle le père de l'enfant qu'elle portait.

La main posée sur son ventre, ses derniers remords disparurent : elle avait pris la bonne décision. Fuir la guerre, mentir à Er'gaven, voler une fermière… Tout cela valait le coup. Peu importe ce qu'un mioche pouvait bien penser.

La jeune femme lava le vêtement comme elle put, l'essora et le roula en boule dans son sac. Sans doute aurait-il du mal à sécher, mais elle n'avait pas le temps d'étendre son linge.

Nathanaëlle remplit d'eau le bol en terre cuite qu'Idriël avait ajouté à son paquetage – il avait donc pensé à tout –, et réveilla l'aura qui picotait en elle. Son sang battit plus fort dans ses veines et se mit à bouillonner. Une flamme se forma dans la main tendue de la mage. Bientôt, l'eau se mit à bouillir à son tour et la jeune femme y plongea les œufs de basilic. Elle ne savait pas combien de temps était nécessaire pour leur cuisson, mais ce serait toujours mieux que de les manger crus, estima-t-elle.

Arthaer s'assit en face d'elle et croisa les bras.

« Je n'en mangerai pas.

— Tant mieux, ça en fera plus pour moi. Tu n'auras qu'à finir le pain rassis.

— Tu es comme les autres, l'accusa-t-il alors, tu te fiches complètement de mon existence ! »

Nathanaëlle était encore une fois désarçonnée par le changement d'attitude du druide. Aussi déterminé qu'un Gandhi la seconde précédente, il semblait maintenant au bord du désespoir.

« Si je me fichais de toi comme tu le penses, je t'aurais volé cet istrief et j'aurais laissé la communauté te récupérer. Tu aurais bien pu leur raconter que tu m'avais vue, personne ne t'aurait cru, parce que personne ne te fait confiance là-bas. Alors, non, je ne me fiche pas de toi. »

La pyromage ne mentait pas et Arthaer le sentit. Il leva ses yeux blancs vers elle et acquiesça doucement.

Les œufs n'étaient pas tout à fait cuits, mais Nathanaëlle se régala tout de même. Cela faisait longtemps qu'elle n'en avait pas mangé de frais. Elle léchait les dernières gouttes de jaune au fond de la coquille quand Arthaer lui demanda :

« Qu'est-ce que ça fait ? D'être enceinte je veux dire. »

La jeune femme le regarda avec étonnement.

« Je l'ai deviné au trou d'aura dans ton ventre, expliqua l'enfant.

— Eh bien... »

La future mère posa à nouveau la main sur son ventre.

« Ça rend heureuse, je crois. Je le suis. Mais j'ai peur aussi. Je ne sais pas si je suis la mieux placée pour répondre à ta question, j'ai encore du mal à me faire à l'idée.

— Tu crois que ma mère était heureuse elle aussi ? Qu'elle m'aimait avant même que je naisse ? »

Nathanaëlle se tut. Que pouvait-elle bien répondre ? Arthaer interrompit ses élucubrations d'une voix cynique :

« Je ne sais même pas pourquoi je pose la question ! Elle m'a livré aux Sages et m'a envoyé le plus loin possible d'elle…

— Peut-être a-t-elle voulu te protéger des autres ?

— Non, c'est elle qu'elle voulait protéger. À la communauté aussi j'étais un druide maudit. »

La mage aspira le dernier bout d'œuf, mais elle n'en sentit même pas le goût. Il n'y avait rien à répondre.

Quand ils atteignirent les limites de la Sylve, Nathanaëlle sut qu'elle n'aimerait jamais voyager en istrief. Ses jambes et ses hanches, malmenées par la chevauchée, la faisaient souffrir le martyr. À vrai dire, la jeune femme se demandait si ce voyage n'était pas risqué compte tenu de sa condition. Mais la question était vite balayée, elle n'avait pas d'autre choix. Quand la douleur était trop forte, elle descendait et marchait aux côtés d'Ast. L'istrief la remerciait alors d'un gentil coup de museau.

À la lisière du royaume elfique, les arbres bourgeonnants laissaient place à d'immenses champs de vehnä. Les plants étaient encore bas, les épis à peine formés, mais déjà ballottés par le vent. Et au-delà de ces champs, le désert des Cendres.

Des elfes étaient dispersés au milieu des céréales, penchés pour arracher les mauvaises herbes. Même quand ils marchaient jusqu'aux immenses brouettes pour se délester de leur fardeau, leur dos était tordu. La jeune femme avait toujours trouvé les grains roux amers, mais elle se sentait maintenant redevable du pain et du gruau que les elfes avaient mis dans son assiette toutes ces années.

N'aurait-elle pas dû se trouver sur un champ de bataille pour défendre ces pauvres hères qui se tuaient à la tâche plutôt que de les fuir comme des ravisseurs ? Un léger haut-le-cœur la saisit et elle secoua la tête. Les sylvains étaient décidément de très bons manipulateurs…

Les deux voyageurs avaient attendu la tombée de la nuit pour sortir du sous-bois. Nathanaëlle imposa alors à Ast un pas lent. Officiellement, c'était pour ne pas faire bruisser les pousses. En réalité, elle était morte de peur. La jeune femme jeta un dernier regard à l'ombre acérée des Rocheuses et les trouva presque plus amicales que le désert décrit dans les livres de géographie. Mais après tout, peut-être étaient-ils falsifiés pour dissuader les éventuels déserteurs…

Personne n'aurait pu ignorer entrer dans le désert des Cendres. Les champs laissaient brusquement place à un sable fin et noir. Le moindre souffle de vent soulevait des nuages de poussière. Les sabots d'Ast s'enfonçaient dans les cendres, rendant son trot épuisant. Devant les voyageurs s'étendaient des dunes immenses et infinies.

Très vite, un froid sec s'abattit sur eux. Nathanaëlle resserra les pans de sa cape et Arthaer s'emmitoufla au mieux dans une tunique de rechange que lui prêta la jeune femme. Malgré cela, ils eurent bientôt tous deux la chair de basilic. Même Ast, avec son pelage angora, frissonnait. Aucun nuage ne retenait la chaleur ce soir-là, le ciel était baigné d'étoiles et de la lumière de Sélénée, gibbeuse.

Nathanaëlle jetait constamment des regards inquiets au-dessus d'elle, s'attendant à voir apparaître les grandes ailes d'un dragon d'un moment à l'autre. Elle savait que des pyromages étaient parfois envoyés pour surveiller le désert.

Au loin, des grognements bestiaux brisaient le silence nocturne. Des menta'nurus sûrement, pensa Nathanaëlle, des fauves agiles au pelage aussi noir que la nuit dans laquelle ils se cachaient. Cela ne la rassura pas. Elle n'avait certainement pas échappé aux crocs des wendigo'wak pour tomber dans la gueule de ces prédateurs du désert. Leur cuir faisait d'excellents manteaux, mais elle préférait encore le froid, encore plus en l'absence de messire Sayr'ha pour soigner ses blessures.

L'elfe n'était peut-être pas toujours aimable ou compatissant, mais il connaissait son métier. Preuve en étaient les cicatrices à peine visibles sur les bras, le dos et le ventre de la mage, seuls vestiges de son combat au pied de l'Arbre-Tout-Seul. Cela s'était passé il y avait moins d'une semaine et pourtant il semblait à la jeune femme qu'une éternité s'était écoulée.

Depuis ce combat, elle avait déserté, menti au père de son enfant, s'était alliée à un druide maudit et avait cambriolé une vieille fermière. Nathanaëlle n'aurait pas dû être fière de ce terrifiant palmarès. Pourtant une voix en elle la confortait, lui assurait qu'elle ne faisait que ce qui était nécessaire à la survie de son enfant. Qui de censé aurait pu lui reprocher cela ?

Une autre voix, plus ténue, l'implorait d'abandonner son entreprise insensée, de revenir à la communauté, de demander pardon à Er'gaven, d'avorter et de reprendre la vie qu'elle avait construite en Eowhull. Nathanaëlle ne l'écouta pas.

Après le froid mordant de la nuit, l'aube apporta une chaleur étouffante. Dès qu'Eos pointa le bout de ses rayons, Ast se mit à haleter. Ses cavaliers n'en menaient pas large non plus. La sueur inondait leur front et leur réserve d'eau disparaissait à vue d'œil. Midi était à peine passé quand la dernière goutte tomba sur la langue pâteuse de Nathanaëlle. Elle regarda le fond de la gourde, désespérément sec, et ses yeux se remplirent de larmes salées. Elle avait fui la communauté à la hâte, sans réfléchir. Comme d'habitude, elle s'était laissée guidée par son impulsivité et avait oublié le plus important.

« Il faut faire demi-tour… » chuchota la jeune femme.

Elle ne savait pas ce qui suivrait, mais s'ils voulaient vivre, ils n'avaient pas le choix.

« Je peux… Essayer quelque chose, proposa alors Arthaer.

— Quoi ?

— Puisque en tant qu'elfe je peux connecter mon aura à l'air pour contrôler le vent, je peux peut-être en puiser l'eau. »

La jeune femme hocha la tête et se laissa glisser du dos au pelage trempé de sueur de l'istrief. Le druide l'imita. Aucun des deux ne croyait vraiment en la solution de l'enfant, mais ils n'avaient pas d'autre alternative.

« Tenez… Euh, tiens la gourde s'il te plaît, demanda Arthaer à la mage. »

Il n'avait jamais essayé de condenser l'eau de l'air, mais les archives qu'on lui avait lues rapportaient que certains elfes en étaient capables. À vrai dire, il n'avait rien expérimenté de bien exotique avec sa magie.

Un précepteur avait été envoyé à la communauté lorsqu'il avait atteint ses sept idhrinns, mais était bien vite parti quand il avait eu la confirmation que l'enfant n'avait pas le don de guérison. Depuis Arthaer s'était limité à l'utilisation de sa Perception. Il avait trop peur de ce qu'il aurait pu découvrir.

Avec appréhension, l'elfe convoqua sa magie. Elle ne réagit pas tout de suite, terrée dans les tréfonds de son être et il dut lutter contre son instinct qui lui hurlait de ne pas la réveiller. Le druide avait l'impression de s'approcher d'un animal sauvage, laissé trop longtemps au fond d'une cage étroite. Quand enfin, il sentit son esprit se reconnecter pleinement à sa magie, une sensation de puissance l'envahit. Pour la première fois depuis de longues années, il se sentit entier. L'aura pétillait jusqu'au bout de ses doigts fins et de ses oreilles pointues. Le druide ralentit sa respiration, bientôt en harmonie avec la Pulsation du monde.

Puis, l'enfant se mit à souffler son aura pour l'unir à l'air qu'il expirait. Il se concentra alors pour en isoler les molécules. Après de longues secondes passées dans l'angoisse, des gouttes se formèrent. Elles tombèrent au fond de la gourde en clapotant. Même Ast piaffa et hulula de joie à l'entente de ce son.

La gourde en vessie de dahu était aux trois quarts pleine quand la respiration d'Arthaer perdit de sa régularité. Quelques secondes plus tard, la petite pluie cessait.

« Je suis désolé, il n'y en a pas beaucoup, s'excusa le druide. L'air est très sec.

— C'est assez pour qu'on puisse continuer ! Tu pourras le refaire ?

— Oui… Je crois. Enfin, j'en suis sûr ! »

Un rire nerveux lui échappa. Pour la première fois, il était utile.

Sans attendre, Nathanaëlle avala une longue gorgée. Une sensation de brûlure suivit le trajet de l'eau dans sa gorge : des traces d'aura pure devaient l'avoir contaminée. Heureusement, la magie se mêla rapidement à son sang et resta à distance de sa bulle de vide. Seule une douleur légère persistait lorsqu'elle déglutissait.

« Merci », dit-elle pourtant.

L'enfant était plus fier qu'il ne l'avait jamais été. Ils pouvaient continuer, elle supporterait la douleur.

Si le problème de l'eau était résolu, Nathanaëlle décida tout de même qu'ils voyageraient maintenant de nuit. Sous ses poils bouffants, Ast ne supportait tout simplement pas la chaleur. Et s'ils épuisaient leur monture, qui savait ce qu'il adviendrait d'eux.

Dormir sous la chaleur de plomb se révéla plus difficile que prévu. Enroulés dans leurs vêtements sales pour se protéger de la brûlure d'Eos, les deux voyageurs devaient dormir à même les cendres, poisseux de sueur. Rien dans le désert ne pouvait leur offrir la plus petite ombre. Ils rencontraient bien parfois de larges tuyaux métalliques sortant du sol, comme d'étranges cheminées hautes de plusieurs mètres, mais ils étaient trop rares et ils ne pouvaient pas attendre que le jour vienne pour dormir à leurs côtés. Il fallait avancer. Ils se levèrent plus d'une fois sans avoir fermé l'œil, avec une migraine et des vertiges.

L'eau contaminée de magie n'arrangeait en rien l'état de Nathanaëlle dont toutes les pensées allaient vers la bulle de bien-être logée au creux de son ventre. Une angoisse constante la tenaillait à l'idée que l'aura de son sang puisse s'infiltrer dans cet éden si fragile. Pour couronner le tout, ses nausées persistaient. Il suffisait parfois qu'elle se lève un peu trop vite pour se vider de son petit déjeuner. La petite graine plantée dans son ventre semblait bien accrochée, mais la jeune femme savait qu'ils ne pourraient pas continuer éternellement ainsi.

La nuit tombait en quelques minutes et avec elle le froid. Pelotonnés dans trois tuniques de lin enfilées les unes sur les autres,

Arthaer et Nathanaëlle tentaient de se protéger des nuages de cendres soulevés par les rafales. Les particules s'insinuaient dans leurs yeux, leur bouche, leur nez, irritant leur rétine et leur gorge. Ast secouait sans cesse la tête, ses yeux noirs pleuraient continuellement. Quant à Nathanaëlle, tousser ravivait ses haut-le-cœur et il fallut s'arrêter plus d'une fois pour calmer son estomac retourné.

Pourtant, il fallait avancer. Par deux fois déjà les voyageurs avaient vu l'ombre d'un dragon projetée sur les cendres brûlantes. Nathanaëlle avait espéré que les mages envoyés patrouiller dans le désert seraient assez rares pour ne pas en croiser, mais elle s'était trompée. Chaque fois qu'elle entendait le claquement sec de l'immense paire d'ailes d'un de ses semblables, tous ses muscles se tendaient d'appréhension. Si son visage et celui d'Arthaer étaient cachés sous une tunique enroulée comme ils pouvaient pour les protéger des cendres volatiles, Ast était tout sauf discret. Son épais pelage crème, trempé de sueur, se détachait nettement du sol noir. Personne n'aurait pu le prendre pour un équibot. Pourtant, par deux fois, le dragon se détourna d'eux et s'éloigna, insupportablement rapide dans le ciel trop bleu du désert.

Au bout de six jours, les deux voyageurs n'avaient pas l'impression d'avoir avancé d'un mètre. Les dunes étaient toujours les mêmes ombres menaçantes à l'horizon. Leurs seuls points de repère étaient les étranges tuyaux – si larges qu'un homme n'aurait pas pu les entourer de ses bras – mais ils se ressemblaient tous. L'un plus haut et ouvert vers le ciel, l'autre plus petit et fermé. Une petite porte métallique avec une serrure aurait permis de l'ouvrir.

Si Eos n'avait pas guidé leurs pas, Nathanaëlle aurait juré qu'ils tournaient en rond.

Elle aurait aimé être aussi capable de lire son chemin dans les étoiles, mais les contempler avec son amant n'avait pas suffi à lui apprendre à s'orienter. Le ciel étoilé n'était alors qu'un immense tableau qui emplissait la jeune femme de nostalgie. Dans l'infini de l'espace, elle se plaisait à penser que la Terre n'était peut-être pas si loin, qu'un point brillant était peut-être le Soleil. Et les constellations lui rappelaient les longues soirées passées à les nommer, main dans la main avec Er'gaven. Le jeune homme riait toujours à ses propositions abracadabrantes. La culpabilité qui la saisit quand elle y repensa la poussa alors à se détourner du ciel pour fixer le sol noir et monotone.

L'aube baignait déjà le désert, réchauffant le dos tendu d'Arthaer et de Nathanaëlle. La détente de leurs muscles sous les rayons d'Eos leur arracha un soupir, mais très vite, le soulagement fit place à un sentiment d'oppression. Il était temps de s'arrêter.

Dès qu'il eut un pied à terre, Arthaer sortit la gourde avec fierté et entreprit de la remplir. En répétant le rituel plusieurs fois par jour, ils étaient sûrs de ne pas manquer d'eau. Il avait toujours peine à croire que c'était grâce à lui.

Nathanaëlle sortit les derniers œufs de la ferme – l'elfe refusait toujours d'y goûter – ainsi que les restes de pain dur. La jeune femme avait sous-estimé l'immensité du désert et elle se rendait maintenant compte du peu de chance qu'ils avaient de croiser des saurials. Elle espérait tout de même que cela arriverait bientôt ou il faudrait commencer à se rationner.

La chaleur qui l'enveloppait dissuada la jeune femme de cuire son repas, elle goberait les œufs à travers un petit trou dans la coquille. De toute façon, il fallait économiser l'eau.

Si la découverte de son pouvoir avait rendu Arthaer plus souriant, il n'était pas plus bavard pour autant. D'habitude, Nathanaëlle ne serait pas restée silencieuse devant un enfant renfermé, mais le voyage les épuisait tous les deux. Les seuls bruits qui animaient leurs repas étaient leurs gémissements lorsqu'ils devaient se déplacer et que leurs courbatures se réveillaient.

La jeune femme profita du silence pour sonder son ventre. La boule sans magie était toujours là, peut-être un peu plus grosse, ou peut-être était-ce une illusion.

Le choc passé, la mage réalisait toute la folie de sa décision. Avait-elle perdu la raison d'avoir quitté le seul endroit où elle était à l'abri ? De vouloir ce bébé ? Selon ses calculs, elle avait fêté ses dix-neuf ans deux cycles de Sélénée auparavant, l'équivalent de trois mois à peine ! Et pourtant la joie qu'elle ressentait était réelle. Elle aimait déjà l'enfant qu'elle portait. *Son* enfant.

Que n'aurait-elle pas donné pour voir la tête de ses parents si on leur racontait ça ? Ses parents… Chaque jour plus flous et en même temps plus proches à mesure que la jeune femme se rapprochait de l'arche. Que diraient-ils quand ils la verraient ? Étaient-ils encore seulement vivants ? La pensait-elle morte ? Sûrement.

***

Arthaer commençait à somnoler, assommé par la chaleur d'Eos, quand il sentit un mouvement d'aura derrière lui. Il pensa d'abord à un lézard ou un rongeur du désert qui se serait aventuré à l'air libre avant de plonger à nouveau sous les cendres, mais cela ne collait pas. L'étincelle de magie était toujours là et elle faisait comme des remous dans la poussière. L'elfe pouvait sentir le léger souffle de vent que créait l'apparition.

Il hésita à réveiller Nathanaëlle. Ce n'était peut-être qu'une singularité du désert qui disparaîtrait comme elle était apparue. Pourtant le druide n'y croyait pas. Le petit tourbillon qui gonflait dans son dos avait… l'énergie du vivant.

À peine avait-il compris ce à quoi il avait affaire que l'essence – puisque c'est ce que leur présence venait de réveiller – prit de l'ampleur. Les cendres se mirent à voler en cercles autour du fragment de magie qu'un soldat de la Première Guerre avait laissé ici en mourant. Le filament d'aura était resté endormi des siècles durant et venait de se réveiller. Et selon ce qu'Arthaer avait appris dans les Encyclopédies, il n'était sûrement pas de bonne humeur.

D'un bond, l'enfant se leva et se posta entre Nathanaëlle et le spectre. Celui-ci faisait maintenant deux fois la taille du druide et deux excroissances se formaient d'un côté et de l'autre du tourbillon.

« Nathanaëlle ! »

***

La jeune femme se réveilla en sursaut. Son regard ensommeillé tomba sur ce qui terrifiait l'enfant : un typhon de cendres auquel poussaient de longs bras spectraux.

À quelques pas de la créature, Ast ruait tant qu'il le pouvait et la jeune femme fut surprise qu'il n'ait pas déjà détalé. Les yeux chassieux, elle saisit sa hache et fit face à la tornade d'aura et de cendres, ignorant le haut-le-cœur qui la secouait. Elle n'avait pas le temps d'invoquer son aura et s'élança vers le spectre.

« Il ne faut pas… »

Arthaer n'eut pas le temps de finir sa phrase, la double lame plongeait à travers l'air tourbillonnant. Nathanaëlle avait espéré disperser la poussière noire, mais elle sentit comme une décharge électrique lui brûler les mains et remonter jusqu'à ses épaules. Projetée en arrière, la mage tomba lourdement à côté du druide impuissant.

L'essence sembla alors attirée par les hululements affolés de l'istrief. Son semblant de membre s'allongea et de longs doigts se formèrent à son extrémité. Nathanaëlle invoqua son aura par un seul élan de pensée, résistant à la douleur que cela causa dans sa poitrine.

La main griffue se rapprochait de l'animal qui, dans la panique, s'était élancé dans une direction aléatoire. Le tourbillon le poursuivit, mais une flamme si chaude qu'elle brûla même la main de sa créatrice le heurta de plein fouet. Le feu engloba la créature et gonfla de plus belle. Pourtant, la respiration de la mage se coupa tandis le monstre absorbait les flammes sans ralentir, les intégrant à son propre corps.

Ast n'était pas assez rapide et ses côtes craquèrent quand le spectre désormais flamboyant se saisit de lui. Arthaer sentait l'aura de l'istrief quitter son corps et s'ajouter à celle – enragée – de l'essence. Le druide frottait ses mains l'une contre l'autre, mortifié, incapable d'agir. Soudain, le fantôme lâcha le corps inanimé du destrier et se tourna à nouveau vers le duo.

Nathanaëlle s'était relevée et brandissait sa hache devant elle. Rien ne lui venait à l'esprit pour les tirer de ce mauvais pas. La sueur coulait dans sa nuque, sur son front et jusque dans ses yeux, rendant l'image du cyclone de deux mètres plus floue. Figée par la peur, la jeune femme vit le second bras de l'essence se rapprocher d'elle.

Elle ferma les yeux une demi-seconde pour clarifier son regard et quand elle les rouvrit, elle eut un instant d'incompréhension. Non seulement la main ne l'avait pas atteinte, mais l'essence était même en train de rétrécir, comme… aspirée par Arthaer.

En quelques secondes, il ne restait rien du nuage de cendres ni des flammes qu'il avait absorbées. La respiration d'Arthaer était inégale et il tremblait légèrement. Nathanaëlle s'agenouilla devant lui et prit ses mains dans les siennes.

« Ça va ?

— Oui… murmura l'enfant. Oui. »

Un hoquet le prit soudain alors qu'il reprenait ses esprits. La peur et la surprise se mélangeaient dans sa voix qui tendait vers les aigus.

« Ast ! » s'exclama-t-il.

Et il se mit à courir vers l'istrief qui gisait dans les cendres.

VI

Er'gaven s'agitait sur l'échine de son istrief. Dociles et téméraires, les animaux au port altier se laissaient sans peine guider vers les combats et la mort. Pourtant, la monture avait été confiée au jeune homme à son arrivée, quelques heures plus tôt, et il peinait encore à la maîtriser. Il avait tenté de la diriger au pas puis au trot entre les longues tentes rectangulaires du camp, sans grand succès. Excédé, l'istrief avait même cabré, projetant son cavalier dans la poussière du désert. La jeune recrue toussait encore régulièrement pour expulser les derniers grains noirâtres coincés dans sa gorge. Il aurait largement préféré être à pied, mais c'était impossible.

L'organisation des bataillons était extrêmement précise. Les lanciers à l'avant, les cavaliers derrière et les archers en retrait. Le lieutenant dirigeait ses troupes du dos d'un dragon. En aucun cas, un pyromage ne pouvait se trouver aux premiers rangs au milieu de l'infanterie. Les elfes ne se seraient jamais risqués à perdre un futur dragon avant même qu'il ait pu se transformer.

Le bataillon d'Er'gaven, composé de cinq cents soldats, était dirigé par le lieutenant Toydlick, un elfe étonnamment musclé et au regard perçant. Tous étaient rassemblés à l'entrée du camp elfique, parfaitement alignés, prêts à lancer l'assaut et relever une autre unité. Dans le désert, les combats ne cessaient jamais.

Toydlick s'avança, accompagné d'une femme à la trentaine. Elfe issu de la petite noblesse, le lieutenant avait le pas militaire. Il devançait la mage. À son passage, chacun se mit au garde-à-vous, le dos bien droit, la main sur son arme. La sueur coulait déjà sur le front des soldats, Eos était impitoyable.

« Le front recule. Ça ne peut pas continuer, dit le lieutenant d'une voix ferme. Je sais que les armes de ces barbares sont de plus en plus puissantes, mais nous ne devons pas faiblir.

Aujourd'hui, je veux vous voir plus unis que jamais, prêts à sauver la vie de votre voisin, à mettre la vôtre en péril s'il le faut. Une nouvelle recrue a rejoint nos rangs. Faites tout ce qui est en votre pouvoir pour qu'Er'gaven puisse être le plus efficace possible. Sacrifiez-vous pour lui si besoin. Le jour où il se transformera en dragon, c'est votre vie qu'il sauvera. Ne l'oubliez pas. »

Tous les regards tournés sur lui ne firent que renforcer le malaise d'Er'gaven. Il devait se montrer digne des ordres du lieutenant, digne de la confiance que plaçaient les elfes en lui.

Toydlick se retourna et acquiesça en direction de la mage derrière lui. Sous les regards du demi-millier de combattants, elle se tourna, ôta ses vêtements et ralentit sa respiration. Il n'y avait rien de sensuel dans ses gestes, rien d'excitant à voir ce corps nu qui allait être torturé.

Bientôt, des écailles d'un vert sombre apparurent sur sa colonne vertébrale puis s'étendirent sur ses côtes, ses membres, sa nuque. Ses cheveux longs et bruns se rétractèrent et laissèrent place à une peau reptilienne. Les articulations craquaient. Pour avoir déjà essayé de se transformer, Er'gaven souffrait aussi. Bientôt, des os recouverts d'une peau diaphane déformèrent les omoplates de la mage. Ils s'allongèrent et se courbèrent pour former deux gigantesques ailes de chauve-souris. Quand la métamorphose fut complète, la dragonne projetait une ombre si grande qu'elle recouvrait le bataillon tout entier.

La mage se courba pour offrir son échine couverte d'écailles au lieutenant. Celui-ci grimpa d'un pas sûr, prenant appui sur sa patte antérieure pliée. Puis la dragonne étendit ses ailes qui auraient pu couvrir plus de vingt personnes chacune et se donna l'élan nécessaire à l'envol d'un coup de patte sur le sol. Un nuage de cendres fit tousser les lanciers les plus proches.

Er'gaven se sentait bien moins prêt que la veille, quand il avait quitté la communauté. Pourtant il savait qu'il n'avait pas le choix. Il devait faire amende aux Follets pour la vie d'Ysis. Et surtout, il devait oublier – ne serait-ce qu'un instant – qu'elle était morte à cause de lui. D'un geste maladroit, il enjoignit à sa monture de se mettre en marche. L'animal, dressé pour la guerre, obéit.

C'est le vacarme du combat qui frappa Er'gaven en premier. Les cris. Le crépitement du feu. L'entrechoquement des armes. Les hululements stridents des istriefs. Le frottement métallique des armures naines. Les grincements d'engrenages de leurs engins de guerre. L'odeur ensuite s'imposa à la nouvelle recrue, celle de la fumée, de la sueur, du sang.

Enfin, il vit. Une ligne infinie déchirait l'horizon du sud au nord. Le long de cette ligne, la mort. Il se sentit soudain submergé, ses sens saturés. Son istrief avançait pourtant au milieu des autres, s'approchant inexorablement de ce qui semblait être la frontière avec l'au-delà, le portail vers les enfers.

Les nains avaient l'avantage. Ils avaient une bonne tête de moins que l'elfe moyen, mais ils étaient trapus et maintenaient leur position avec rage. Leurs armures massives reflétaient les rayons d'Eos comme celles d'anges… Ou de démons.

Ils contrôlaient le flanc est d'une large dune alors que les elfes étaient bloqués en contrebas. Au sommet de la colline de cendres, des catapultes étaient chargées de lourds rochers et des balistes pointaient leurs carreaux mortels vers le ciel où planaient les dragons.

Plus bas, dans un nuage opaque, dévalaient des nains armés de haches, de morgensterns, de fléaux et de lourds marteaux parcourus d'éclairs d'aura. Face à cette horde sauvage s'élevaient trois rangs de lanciers à pied, protégés par des boucliers aussi hauts qu'eux. Les marteaux frappant le sol créaient des ondes de choc comme autant de séismes, mais les elfes, serrés les uns contre les autres, ne faisaient que ployer sans tomber. Dès qu'une brèche se formait dans les rangs ennemis, les lanciers s'écartaient et c'étaient les cavaliers qui s'y jetaient.

Le sang coulait à flots, mais aucune flaque ne se formait. Les cendres absorbaient le fluide bleu pétrole des créatures d'Eowhull et celui – pourpre – des humains. Le désert était un monstre gourmand se repaissant de la guerre.

Er'gaven déglutit. Comment allaient-ils permettre à un bataillon de s'extraire de ce carnage ? La réponse arriva rapidement lorsque la dragonne qui les menait piqua vers le sol. Les nains à cet endroit s'éparpillèrent dans la panique. Seuls quelques braves firent face à la créature, mais un coup de patte puissant les envoya mordre la poussière.

Les elfes battirent en retraite pendant que le nouveau bataillon avançait pour prendre place. La pyromage sous forme draconienne souffla alors une gerbe de flammes puis s'envola à nouveau. Le feu se propagea et les nains n'y échappèrent pas.

Des dizaines d'entre eux furent consumés, leurs os visibles sous la chair noircie. Même leurs plastrons et leurs jambières étaient déformés, chauffés à blanc et fondus par le souffle infernal.

Avec rage, les mutilés se lancèrent à l'assaut des nouveaux lanciers, leurs barbes encore crépitantes. Leur visage cuivré ou noir était déformé par la colère et ils frappaient les boucliers avec une telle force que le rang se déformait.

Pourtant, les elfes ne se laissèrent pas déstabiliser. Leurs boucliers résistaient et un coup de vent puissant irradia d'eux, soulevant les cendres et aveuglant leurs ennemis.

Alors que les fantassins luttaient pour faire reculer leurs adversaires, le lieutenant et la dragonne avaient atteint le sommet de la dune et tentaient de détruire les engins de tir.

Si les dragons avaient pu survoler Ankor et tout brûler sur leur passage comme ils le faisaient sur le champ de bataille, la paix aurait régné depuis bien longtemps. Mais les nains avaient construit un champ d'aura qui recouvrait toutes les terres protégées par les hautes murailles de leur royaume.

Le combat durait depuis plusieurs heures maintenant. Sur le sol, des corps par dizaines. Démembrés, décapités, démantibulés, piétinés par les istriefs. Méconnaissables.

La longe de sa monture glissait dans les mains moites d'Er'gaven. Il n'avait pas encore pu donner un seul coup, mais la foi avait repris le dessus sur la peur. Il ressentait le besoin urgent de se jeter dans la mêlée et de répondre à l'appel des Follets. Au milieu de tous ces elfes bien moins puissants que lui, il se sentait essentiel. Après tout, il avait été élu par les dieux de ce monde comme le prouvait son transfert et il comptait bien ne pas les décevoir. Les nains étaient des vermines à exterminer.

Soudain, les rangs de lanciers s'ouvrirent, offrant une brèche aux cavaliers qui piaffaient derrière eux. Er'gaven donna un grand coup de talon à sa monture, mais c'était inutile : elle galopait déjà vers l'ennemi. Déstabilisé, le jeune homme brandit maladroitement son épée. Il l'enflamma et l'abattit sans grâce sur le casque du premier nain qu'il vit.

Le métal se plia légèrement, mais son adversaire donna un coup de morgenstern dans la patte antérieure de son istrief. L'animal hulula dans sa chute en avant, manquant d'entraîner le jeune combattant à terre. Er'gaven se dégagea tant bien que mal et lâcha la bride. Maniant son épée à deux mains, il l'enfonça dans une jointure du plastron de son ennemi. Il vit avec plaisir son visage aux traits lourds se tordre de douleur.

Reprenant confiance, le jeune guerrier retira rapidement sa lame et la plongea dans le cou épais d'un autre ankorien. Sa victime se figea, bouche bée, un filet de sang pétrole perla au coin des lèvres, puis elle tomba lourdement dans les cendres. Exalté, Er'gaven enflamma son épée, levée vers le ciel dans un geste héroïque, et reprit son macabre ballet, crevant des yeux et se faufilant entre les pièces d'armure.

Cependant, dans son excitation, la jeune recrue n'avait pas remarqué qu'il s'était peu à peu éloigné des autres cavaliers : il était en train de se faire encercler.

Quand il s'en rendit compte, ce fut la honte qui s'empara de lui plus que la peur. Était-il donc à ce point incapable de défendre qui que ce soit, même lui-même ?

Il se mit à donner des coups désordonnés autour de lui. Les corps agonisants au sol gênaient ses gesticulations et ce n'était pas tant sa lame qui blessait ses adversaires que le feu qui l'entourait. Une odeur de chair grillée l'entourait. Les nains avaient le visage couvert de cloques et les yeux rougis par la fumée. On eût dit des morts-vivants.

Le jeune homme s'épuisait et sentait qu'il ne pourrait pas esquiver éternellement les coups de ses ennemis. Un nain leva son marteau au-dessus de sa tête et il sut que c'était là la fin de sa courte vie de combattant.

Il se trompait. Il se sentit soulevé et trouva la force d'accompagner le mouvement pour se hisser sur la croupe d'un istrief, abandonnant le sien à terre.

Il se redressa comme il pouvait, heureux de ne pas pouvoir croiser le regard de son sauveur qui, épée en main, continuait de se battre comme si rien ne s'était passé. Il ne voulait pas voir son mépris.

Son arme tombée à terre, hors de portée, il ne put qu'attendre. Mettre le feu à celui qui l'avait tiré de cette embûche aurait été l'humiliation ultime.

Ce n'est qu'en rentrant au camp qu'il se rendit compte que son honneur avait été réduit en lambeaux : son sauveur était *une* elfe.

VII

Ast gisait sur le sol, à peine vivant. Il avait la respiration sifflante, des côtes enfoncées et un mince filet de sang coulait de sa gueule entrouverte. Un fin voile recouvrait déjà ses yeux. Arthaer se laissa tomber à genoux. Il effleura le flanc tremblant de l'animal.

« Il faut mettre fin à sa souffrance, dit Nathanaëlle avec douceur.

— Non ! Je veux essayer !

— De le soigner ? Mais, je croyais que… »

La jeune femme ne finit pas sa phrase. L'enfant avait déjà apposé ses deux mains sur les blessures de l'istrief. Après tout, pensa la mage, il avait bien montré qu'il savait se servir de sa magie. Peut-être son précepteur avait-il été trop impatient.

***

Arthaer était penché sur Ast. Des fils d'aura émanèrent de son corps et glissèrent vers la monture, vers son sang dans lequel coulait la même magie, affaiblie par l'essence. Sans effort, l'aura des deux êtres se lia dans un entremêlement de filaments, tout commençait bien.

Le druide voulut alors ordonner à sa magie de quitter son corps pour rejoindre celui de l'animal. C'est à cet instant qu'il sut qu'il échouait. Le fluide fit l'exact opposé de ce que l'enfant lui ordonnait, pompant les dernières gouttes d'aura que n'avait pas aspirées l'essence.

***

Les yeux rivés sur l'elfe, Nathanaëlle ne vit pas la vie quitter le regard d'Ast. Cependant, son regard fut attiré par les spasmes qui secouèrent son corps puis les mouvements saccadés de ses pattes. Il semblait que l'istrief voulait se relever. La mage était surprise. La monture était certainement trop épuisée pour se relever déjà. L'inquiétude de la jeune femme ne resta pourtant pas concentrée sur Ast : le visage d'Arthaer était déformé par la panique. Ses yeux blancs écarquillés, sa bouche bée, ses mains crispées sur des touffes de poils crème de l'animal, il semblait horrifié.

Sans ménagement, la jeune femme posa sa main sur son épaule si frêle et le secoua pour le ramener à la réalité. Une étincelle de magie la piqua comme une décharge d'électricité statique, mais Arthaer se détendit légèrement.

Quand Nathanaëlle se tourna vers le corps d'Ast, il avait… disparu. Sans comprendre, la jeune femme fixa l'endroit où se trouvait la dépouille de l'istrief quelques secondes plus tôt. Devant ses yeux écarquillés, Arthaer s'empressa d'expliquer :

« C'est mon aura… Ça l'a réduit en poussière. »

Sa voix se brisa et il se mit à frotter compulsivement ses mains l'une contre l'autre.

« Comment est-ce possible ? Les elfes ne nous ont jamais dit qu'ils savaient faire ça !

— Ils ne savent pas, ce n'est que moi… Je… Je ne sais pas donner mon aura. Je ne sais qu'aspirer celle des autres… C'est pour ça que je ne peux pas guérir. C'est pour ça que je suis maudit… »

Les mouvements des petites mains de l'enfant étaient de plus en plus rapides, de moins en moins contrôlés.

« Eh ! l'interpella Nathanaëlle. Ce n'est pas toi qui l'as tué. C'est l'essence. OK ?

— Je l'ai achevé !

— Et c'est ce qui se serait passé de toute façon si tu n'avais rien tenté. Tu n'as pas empiré la situation. Tu n'as tout simplement pas pu l'améliorer. Comme moi. Tu crois que je suis une mauvaise personne parce que je n'ai pas le pouvoir de soigner ?

— Non… Mais tu as le feu.

— Qui ne m'a servi à rien ! Comment t'es-tu débarrassé de l'essence ? »

La mage avait déjà deviné la réponse, mais elle voulait l'entendre de la bouche du druide.

« En aspirant son aura…

— Tu sais, il n'existe pas grand-chose d'intrinsèquement mauvais et je ne pense pas que ta magie en fasse partie. Tout dépend de comment tu l'utilises. »

L'enfant releva la tête. Il mordillait ses lèvres bleutées.

« Et si… J'ai peur de l'utiliser ?

— Alors rien ne t'y oblige ! À part si ça peut sauver ma vie, plaisanta la jeune mage avec un clin d'œil. »

Elle redevint ensuite plus sérieuse.

« Ce que tu es capable de faire ne te rend ni bon ni mauvais. C'est ce que tu décideras de faire qui te définira. »

Puis, elle prit l'elfe dans ses bras comme elle avait l'habitude de le faire avec les cadets. Elle le sentit sangloter. Le combat contre l'essence, la mort d'Ast, ses questionnements sur lui-même. Tout cela était un peu trop pour lui.

Pendant qu'elle le consolait, Nathanaëlle pensait à la suite. Au voyage qu'ils allaient maintenant devoir faire à pied.

Les deux voyageurs devaient se cacher la bouche avec leur bras et n'ouvrir leurs yeux qu'au minimum pour supporter les cendres qui volaient à leur hauteur. Leurs pieds s'enfonçaient dans la poussière et les soulever était plus dur à chaque pas. Ils n'avaient pas voulu dormir près des restes carbonisés d'Ast et avaient repris la route sous les rayons brûlants d'Eos.

La sueur coulait dans leur dos et dans chaque pli de leur peau. Ils n'avaient pas pu se laver correctement depuis plusieurs jours et leur propre odeur commençait à les indisposer. Ils auraient tout donné pour avoir un des équibots du groupe de quatre saurials qu'ils croisèrent ce jour-là. Mais le regard hostile des reptiliens et le détour qu'ils avaient fait pour passer aussi loin d'eux que possible les avaient dissuadés de chercher de l'aide auprès des nomades.

Le soir, à bout de force, ils se laissèrent tomber à terre. L'esprit embrumé par la chaleur et l'épuisement, Arthaer ne réussit à condenser que quelques gouttes d'eau. Nathanaëlle était inquiète. Comment son bébé pouvait-il se développer dans ces conditions ? Leurs provisions se raréfiaient, ils avaient commencé à se rationner. Sans Ast, ils tiendraient un peu plus longtemps, mais ensuite, que se passerait-il ?

« Au moins, il a été libéré… »

La mage releva la tête et des étincelles dansèrent devant ses yeux. Elle attendit quelques secondes que sa vision se clarifie puis demanda :

« Qui ça ?

— Le guerrier. Celui dont le petit bout d'aura a été enfermé dans les cendres. »

Devant l'air étonné de la jeune femme, Arthaer continua :

« C'est comme ça qu'on explique les essences. On n'observe leur éveil que là où de grandes batailles ont eu lieu et on sent bien que leur aura est bouillonnante de rage comme le serait un soldat qui mène son dernier combat et voit la mort venir. Il paraît aussi que parfois les essences ne sont pas agressives, mais plaintives. On pense que celui qui en est à l'origine devait agoniser. En tout cas, c'est une théorie qui en vaut bien une autre. Après tout, on sait bien que l'aura ne nous quitte pas tout de suite après notre mort et que des filaments peuvent rester accrochés à notre corps plusieurs cycles de Sélénée. C'est pour ça que nous brûlons nos morts. Tes ancêtres ont préféré garder leur coutume d'enterrement, mais du coup le cimetière transpire la magie des défunts. »

Nathanaëlle regarda l'enfant avec une surprise plus grande encore qu'il y a quelques secondes. Il n'avait jamais prononcé autant de phrases d'affilée.

« Je vois que tu connais bien ton sujet », lui dit-elle.

L'elfe haussa les épaules.

« Les nourrices avaient peur de moi alors elles me lisaient ce que je voulais quand je voulais. »

Cette nuit-là, Arthaer et Nathanaëlle s'endormirent blottis l'un contre l'autre pour supporter le froid. Leur sommeil fut court et agité.

Les jours suivants, ils perdirent toute notion du temps. Ils marchaient tant qu'ils pouvaient, tombaient de sommeil, se réveillaient pour reprendre leur marche. Peu importait qu'il fasse nuit ou jour, les deux voyageurs ne s'en rendaient même plus compte. De temps à autre, Nathanaëlle portait presque Arthaer qui ne tenait plus sur ses petites jambes. L'enfant n'avait pas reçu l'entraînement militaire réservé aux humains de la communauté et l'usage de son aura pour se repérer était une source de fatigue en plus. Lorsqu'ils essayaient de dormir, Nathanaëlle l'entendait pleurer en murmurant le prénom d'Ast.

La jeune femme n'en menait pas plus large. L'image d'Er'gaven, et parfois d'Idriël, s'imposait à elle chaque fois qu'elle fermait les yeux et elle craignait parfois de s'endormir tant rêver de son amant la faisait souffrir.

Un soir, alors que les deux compagnons luttaient contre leur propre corps pour se lever, la jeune sentit une chaleur inhabituelle entre ses jambes. Un regard vers son pantalon confirma ses craintes. Une tache sombre s'étendait sur le tissu rêche. Ce n'était qu'une petite tache, pas plus large que sa paume. Pourtant, le cœur de la future mère rata un battement et sa respiration se suspendit. Son regard restait bloqué sur le sang, son corps paralysé de terreur.

« Nathanaëlle ? »

La mage déglutit malgré sa gorge nouée.

« Je…

— Ho ! Euh… Il faut… Il faut que tu t'assoies, non ? »

La panique de l'enfant sortit Nathanaëlle de sa transe. Avec toutes précautions du monde, elle s'accroupit puis s'assit, comme si le moindre mouvement pouvait faire exploser la bulle de vie qu'elle portait.

« Je… Je pousse mon corps trop loin… Je vais le tuer… »

La jeune femme se sentit soudainement perdue au milieu de ce désert sans vie et sans espoir. Seule la petite main d'Arthaer sur son épaule la reliait encore à la réalité.

« On va s'arrêter un peu, décida l'enfant. Et quand un saurial passera, on lui demandera de l'aide. Il ne pourra pas refuser d'aider une femme enceinte ! »

Nathanaëlle ne perdit pas plus de sang, mais les prévisions d'Arthaer étaient fausses : aucun saurial ne s'arrêta pour les aider. C'était à en devenir fou. Tous ignoraient leurs appels à l'aide, leur jetant à peine un regard. Arthaer avait essayé de courir après plusieurs d'entre eux, en vain.

Terrassée par la fatigue et l'ennui, Nathanaëlle ne pouvait se débarrasser des réminiscences du cliquetis obsédant des engrenages des équibots qui les avaient contournés sans s'arrêter. Clic, clac, clic…

La jeune femme mit quelques secondes à se rendre compte que ce n'était pas une illusion acoustique. Elle se retourna. Leur image brouillée par la chaleur, une guilde de saurials avançait vers eux et… l'un d'eux leur faisait signe ! C'était un mirage, Nathanaëlle en était persuadée. Elle n'osait pas cligner des yeux. Pourtant, Arthaer s'arrêta lui aussi.

« Ils… s'approchent de nous, s'étonna-t-il. Ils ne nous évitent pas. »

En silence, comme pour ne pas briser ce moment onirique, les deux voyageurs observèrent les reptiliens approcher. Leur visage était couvert par un chèche, un long turban qui ne laissait voir que leurs yeux en amande. Un des équibots tirait une roulotte. Ses roues étaient en métal, sa charpente en bois. Toutes les montures étaient lourdement chargées.

Arthaer entendait maintenant le faible grincement des rouages de ces automates. L'elfe sentait l'aura de onze saurials. Elle était plus faible et plus diffuse que celle d'un elfe. Il en percevait aussi une douzième, tapie au fond de son porteur, immobile et ne laissant s'échapper aucun filament de magie.

« Il n'y a pas que des saurials, si ?

— Non, confirma Nathanaëlle. »

L'enfant avait raison. Les reptiliens étaient maintenant à portée de voix et, outre les quatre enfants, l'un d'eux était différent. Alors que tous les autres avaient des iris tirant du jaune au vert, les yeux de cet intrus étaient bleus. Son chèche était déformé par un museau bien différent du visage plat des reptiliens et il en sortait des touffes de poils sombres.

Cependant, la mage n'eut pas le temps d'en faire part à son compagnon : le marchand en tête de convoi venait de les interpeller.

« Alors, on est perdus ? demanda une voix féminine en elfique.

— Non, mais nous avons besoin d'aide. Je vous en prie… »

Nathanaëlle souffrait de l'admettre. Elle aurait voulu réussir seule et prouver qu'Er'gaven avait eu tort de vouloir la protéger malgré elle. Qu'elle avait eu raison de partir seule, en coup de vent. De lui mentir. Pourtant, elle n'hésita pas. Mourir ne prouverait rien à personne.

« Où allez-vous ?

— En Ankor.

— À pied ? »

La jeune femme se demanda si la nomade était impressionnée par leur volonté ou par leur bêtise.

« Nous avons perdu notre monture… » expliqua Arthaer.

Une quinte de toux le secoua à cause des cendres qu'il venait d'inhaler en parlant. Rapidement, Nathanaëlle exposa leur situation. Celle qui devait être la matriarche du groupe acquiesçait régulièrement. Les autres saurials restaient muets et figés.

« Nous avons vraiment besoin d'aide, ajouta la jeune femme, désespérée.

— Bien… Nirvielle va vous donner à boire, déclara la sauriale. Pendant que vous vous désaltérerez, nous allons nous concerter. »

Puis elle s'adressa à la mystérieuse créature aux yeux bleus dans une langue sibilante et s'éloigna. L'interpellée mit alors pied à terre et leur fit signe de la suivre jusqu'à l'arrière de la roulotte. Les autres membres de la guilde se regroupèrent à quelques mètres de là autour de leur matriarche, discutant à mi-voix.

La dénommée Nirvielle ôta son turban et Nathanaëlle découvrit un museau allongé de loup et une gueule remplie de crocs. Elle eut un léger mouvement de recul alors que l'image des wendigo'wak s'imposait à elle. La louve haussa un sourcil, mais ne dit rien. Arthaer, qui pouvait maintenant distinguer la forme de l'intruse s'émerveilla :

« Vous êtes une lycanthrope… »

Cela provoqua un nouveau haussement de sourcil de Nirvielle. Avec des gestes rapides, elle sortit deux tasses de métal et les remplit au robinet de l'énorme tonneau de bois qui occupait plus du tiers de la roulotte.

L'eau était chaude, mais Nathanaëlle ne put retenir un soupir de soulagement. Le liquide était, pour sa gorge meurtrie par les traces d'aura qu'elle ingérait tous les jours, comme le miel le plus doux qu'elle n'ait jamais goûté. La jeune femme avala jusqu'aux dernières gouttes. Elle aurait bu la mer et ses poissons, mais, d'abord elle ne savait pas s'il y avait des poissons dans la Mer d'acide, et ensuite elle ne voulait pas abuser de la générosité de leurs sauveurs.

« Comment faites-vous pour traverser tout le désert avec une si petite réserve d'eau ? demanda-t-elle plutôt.

— Les tuyaux. »

La réponse d'Arthaer avait fusé. Nathanaëlle le regarda, interloquée.

« Les tuyaux ? Ceux qu'on voit depuis le début ?

— Oui, l'un est un collecteur, l'autre une pompe et ils sont reliés à un réservoir sous-terrain.

— Pourquoi tu n'as rien dit ? »

La pyromage éructa plus qu'elle ne demanda. Elle sentait son cœur battre plus fort et ses dents se serrer.

« Nous ne pouvions pas les ouvrir ! » se défendit Arthaer.

L'enfant leva les bras comme pour se protéger le visage. Il continua :

« Il faut une clef que seuls les saurials ont ! »

La honte envahit alors la jeune femme. Elle ne vit même pas le regard circonspect de Nirvielle qui ne comprenait pas un mot d'elfique.

« Je suis désolée Arthaer… Je…

— Ce n'est pas de ta faute, dit-il, penaud. J'aurais dû te le dire.

— Non ! Tu ne pouvais pas deviner que je ne savais pas. Et ça n'aurait rien changé. C'est toi qui nous as permis d'arriver jusque-là et ce n'est pas juste de ma part de décharger mes sautes d'humeur sur toi. »

Arthaer resta figé un instant et baissa ses bras. Nathanaëlle avait raison. Pourtant, il n'arrivait pas à se penser autrement que comme un fardeau. Après tout, il était maudit. Quoi qu'il fasse, il serait toujours une création des Infernaux.

Un silence gêné s'installa. Nathanaëlle évitait le regard méfiant de la lycanthrope. Arthaer tendait l'oreille pour tenter de savoir ce dont discutaient les saurials. Malheureusement, ils parlaient leur dialecte sifflant et l'elfe connaissait trop peu de mots pour comprendre les messes basses.

Le trio était en train de fondre sous la chaleur d'Eos quand la matriarche revint vers eux. Les autres saurials remontaient sur les équibots, aidant les plus petits à se hisser sur les structures métalliques.

« Aussi courageux que vous soyez, vous n'arriverez jamais à destination vivants, leur dit la reptilienne d'une voix ferme. À moins que nous vous aidions. Et nous avons décidé de le faire. »

Nathanaëlle sentit le poids qui comprimait sa poitrine s'alléger. Pourquoi ces saurials étaient-ils différents des autres ? Elle n'en avait aucune idée. Mais la question ne l'intéressait pas.

« Merci beaucoup...

— Ycesth.

— Merci beaucoup Ycesth. Nous saurons nous rendre utiles. »

Arthaer hocha la tête, mais il doutait… La sauriale s'attendait-elle à ce qu'il ait le don de soin ? Que se passerait-il lorsqu'elle découvrirait la vérité ?

L'enfant était toujours dans ses réflexions quand il sentit la main de Nathanaëlle le guider vers un automate. Le métal était brûlant, mais le dos de l'équibot était recouvert de tissus. Quand la monture se mit à grincer et à bouger sous lui, Arthaer s'accrocha à la tunique de Nathanaëlle. Il n'avait pas tout à fait confiance en cette machine naine. Vouloir enfermer l'aura et la contrôler sous forme liquide était un péché. Un de plus à ajouter à son existence.

Quand Ycesth arrêta son équibot, tout le monde l'imita. Un ballet longuement répété se joua alors sous les yeux de Nathanaëlle. En quelques minutes, de longues tentes triangulaires furent montées et un feu allumé. Alors que les enfants couraient à travers le camp, des adultes commençaient à préparer le dîner. Nirvielle et d'autres saurials se postèrent à distance du brouhaha pour leur tour de garde. À regarder s'agiter leurs hôtes, Nathanaëlle et Arthaer se sentaient terriblement gauches.

Bientôt, une odeur sucrée vint titiller leurs narines. Alors que s'imposait à Nathanaëlle l'image des tartes aux pommes de sa mère, Arthaer était curieux. Cela avait une odeur de baie, mais... pas vraiment. Un saurial s'approcha alors d'eux.

« Ce sont des smitz, de petits champignons qui...

— Poussent dans les mines naines et sont phosphorescents ! compléta l'elfe.

— Exactement jeune Sylvain. Tu aimes ça ?

— Je ne sais pas... »

Devant l'air étonné du reptilien, Nathanaëlle intervint :

« Nous venons des Rocheuses, pas de la Sylve, nous n'en avons jamais goûté.

— J'y avais été envoyé parce que je suis aveugle, avoua Arthaer du bout des lèvres.

— J'avais compris. »

Le saurial prit alors sa main et la posa sur le moignon de son bras droit. L'elfe sentit ses doigts mal formés et trop courts.

« Moi aussi je suis différent. Ça ne m'empêche pas d'être le meilleur conteur de la guilde. Et si tu ne me crois pas, viens m'écouter ce soir après le dîner, tu verras. »

Celui dont il apprendrait plus tard qu'il se nommait Lancel lui tapota l'épaule et s'éloigna. Il avait deux petits reptiliens en pleine bagarre à aller séparer.

La compote de smitz était exquise. Nathanaëlle avait presque été écœurée par la première bouchée, trop habituée à l'amertume de la vehnä, mais elle se pourléchait maintenant les babines. Après le rationnement, ce premier vrai repas n'en était que plus délicieux.

Le feu brûlait toujours. Ses flammes dansaient sur les écailles lisses des saurials. La jeune femme était impressionnée par le temps que mettaient les quelques bûches à brûler.

Si Arthaer avait été à côté d'elle, il lui aurait dit que c'était du bois des Terres Sauvages spécialement traité par les nains pour faire durer sa combustion. Mais le druide était au milieu des enfants saurials, devant Lancel qui commençait la légende des trolls disparus. Il allait la raconter en elfique spécialement pour l'enfant.

« C'était il y a des siècles de cela. Les nains, les elfes et les saurials n'existaient pas encore, les lycanthropes n'étaient encore que quelques clans confinés à l'est de la forêt de pin des Terres Sauvages. Le reste de ces terres et les plaines arides qui recouvraient la moitié d'Eowhull étaient habitées par les trolls. Ces immenses créatures à la peau si rêche qu'on aurait dit de la pierre erraient sans but d'un pas lent au nord d'Eowhull. Personne ne savait comment ils étaient nés ni s'ils pouvaient mourir. Ils ne faisaient que marcher, leurs longs bras ballants. Vous imaginez les enfants ? Il en aurait fallu cinq comme vous pour atteindre la taille de ces géants. »

Le conteur renforçait son histoire par de grands gestes et une voix mystérieuse.

***

Tout en gardant un œil sur Arthaer, Nathanaëlle s'intéressa au reste de la guilde. Assis à l'arrière de la roulotte, un groupe de reptiliens lançaient des dés à dix ou vingt faces entre rires et accolades. D'autres s'occupaient de réapprovisionner les équibots en aura pure. Ils manipulaient les fioles de fluide transparent avec précaution, ne versant que quelques gouttes sur les engrenages. D'autres encore avaient déjà rejoint les tentes.

Ycesth vint s'asseoir à côté de la mage. La jeune femme la regarda. Son visage était plat et anguleux, ses pommettes hautes. Dans l'obscurité, on voyait à peine ses écailles grises tachetées. Seuls ses yeux verts brillaient. Ce n'était pas le même vert qu'Er'gaven, pensa-t-elle. Il était plus clair, moins envoûtant. Combien aurait-elle donné pour revoir les yeux de son compagnon ? Pour retrouver son sourire ?

La matriarche était silencieuse. Elle semblait attendre les questions de Nathanaëlle. À vrai dire, la jeune femme en avait tellement en tête qu'elle peinait à trouver par où commencer. Elle se lança pourtant :

« Savez-vous comment les nains font pour recueillir l'aura pure ?

— Bien sûr. On sent assez peu la Pulsation en Ankor. La magie du monde reste coincée sous les roches imperméables des collines. Elle forme des nappes que les nains pompent. »

Nathanaëlle se sentit bien ignorante face au ton d'évidence de la sauriale. Encore une chose que les elfes avaient omis de lui apprendre…

« Combien de temps pour rejoindre Ankor ?

— Une vingtaine de jours pour arriver au port de Zwoult, deux bons cycles de Sélénée de bateau et nous ne serons plus bien loin.

— De bateau ?

— Eh bien... Oui ! s'amusa Ycesth. La guerre bat son plein dans une bonne partie du désert et aussi braves soyons-nous, nous évitons au maximum les champs de bataille.

— Alors vous passez par la Mer d'acide… »

Nathanaëlle en apprit plus sur le monde d'Eowhull au fil des questions avec la matriarche que pendant plus de quatre ans à la communauté. À croire que les elfes n'avaient pas envie que leurs gentils petits soldats en sachent assez pour fuir. Plus le temps passait et moins la jeune femme était convaincue de la bonne foi des Sages quand ils disaient vouloir les aider. Elle aurait sûrement haï tous les sylvains si Arthaer n'avait pas été là.

***

« Et puis, un jour où les bourgeons des arbres étaient tout juste éclos, un troll tomba. Comme ça. La tête en avant. Il était mort… »

Lancel laissa quelques secondes de suspens avant de poursuivre.

« Des centaines de trolls périrent en quelques cycles de Sélénée. Les elfes pensent que ce sont les Infernaux qui les ont tués en absorbant toute leur aura. »

L'absorption d'aura était une magie… d'Infernaux. Un frisson parcourut Arthaer.

« Les nains eux pensent que les trolls étaient sensibles aux maladies comme n'importe quelle autre créature et qu'ils ont été décimés par une épidémie. Aujourd'hui, il reste encore quelques trolls vivants, mais ils sont reclus dans les Monts sauvages. En tout cas, il est dit que ce sont les corps rocailleux de ces mystérieux titans qui ont créé les collines d'Ankor ! Ce serait leur peau si particulière qui permet l'accumulation de l'aura ! »

Les enfants saurials avaient sûrement entendu l'histoire des dizaines de fois, mais leurs yeux brillaient à l'idée que les collines d'Ankor soient un charnier gigantesque de créatures quasiment disparues. Arthaer lui, ne pensait plus qu'aux Infernaux. Il pouvait sentir leur regard approbateur, leur main spectrale posée sur son épaule. Ils l'avaient créé.

***

Nathanaëlle ne dormait pas. Pour la première fois depuis des jours, elle n'avait pas peur de mourir avant l'aube. Toutes ses autres inquiétudes refaisaient surface. Les yeux grands ouverts, elle fixait la toile de la tente que le vent faisait claquer. À côté d'elle, Arthaer se tournait et se retournait, en proie à des rêves de divinités machiavéliques.

Ses pensées à elle n'allaient pas aux dieux elfiques, mais à son futur enfant. Elle n'en avait pas parlé à Ycesth. Elle savait qu'elle aurait plus de chances d'être acceptée dans la guilde si elle se présentait en guerrière entraînée plutôt qu'en femme enceinte. Pourtant, son corps changeait. Ses seins s'alourdissaient, ses cuisses se gonflaient, son ventre était légèrement arrondi. Sa poche de vide d'aura s'étendait lentement.

La jeune femme osait à peine imaginer son accouchement. Dans un hôpital. Avec ses parents. Donnant le sein à son bébé. Tous deux vivants et en pleine santé, dans un monde exempt de magie. Tout cela lui semblait si irréaliste et si proche en même temps ! Elle en aimait d'autant plus cette graine qui germait en elle, ce petit miracle qui l'avait poussée à faire le grand saut. En devenant maman dans le monde où était sa place, elle renaîtrait.

VIII

Quand il monta les marches de la tour de la volière, un élan de nostalgie s'empara d'Idriël. Il se souvenait du rire de Nathanaëlle dans ces mêmes escaliers, du vol paniqué des oiseaux libérés de leur cage par les deux troublions, mais bloqués sous le plafond, incapables de trouver les fines meurtrières de la tour.

Les plumes tachetées dansaient dans l'air, les messagers caquetaient et les deux adolescents avaient passé des heures à récurer les fientes qui maculaient le sol. Le vacarme avait mis la révérende dans un état de rage rarement atteint et les deux amis considéraient ce jour comme l'une de leurs plus grandes victoires.

L'anecdote était toujours racontée de cadet en cadet, entourée d'un halo de légende. Pourtant, Idriël ne viendrait plus jamais dans cette tour avec son amie.

***

Er'gaven replia la lettre. Les nouvelles de la communauté n'étaient pas palpitantes. Un transféré n'avait pas survécu et avait été enterré dans le cimetière des sans-noms. Rien de très réconfortant. Il sentait qu'Idriël ne lui avait pas écrit pour l'informer. Peut-être l'avait-il fait par devoir, parce qu'il se pensait responsable. Peut-être l'avait-il fait pour aller mieux. Er'gaven n'avait pourtant ni le temps ni l'énergie de s'improviser psychologue.

« Une dulcinée ? » lui demanda Celeen.

La jeune elfe qui l'avait sauvé durant sa première bataille ne l'avait pas lâché depuis. Er'gaven aurait préféré être seul, mais il devait avouer que malgré lui, il appréciait sa compagnie envahissante. Au moins, avec ses récits de combat plus abracadabrants les uns que les autres, il oubliait Ysis. Cette fois, sa question avait rouvert sa plaie.

« Non, répondit-il brusquement.

— OK ! C'était indiscret, je retiens monsieur Ronchon. »

Celeen était jeune, pleine de vie, taquine. Er'gaven avait à peine la vingtaine, mais il se sentait vieux. Il ne comprenait pas qu'une elfette ne trouve pas de camarade plus joyeux. Peut-être était-ce l'exotisme humain qui l'interpellait.

Le cor sonna. Celeen lui lança un regard complice.

« C'est l'heure d'aller massacrer du nain ! »

Er'gaven n'y trouvait pas autant de plaisir qu'il aurait espéré. Mécaniquement, il passa la main à sa ceinture pour vérifier qu'il avait bien sa fiole d'aura puis caressa le pommeau de son épée.

Il n'avait encore jamais bu de magie pure. Il avait peur que les Follets n'apprécient guère ce coup de pouce artificiel, surtout quand le précieux liquide était pillé sur des cadavres de nains. Pourtant, il était de plus en plus tenté. Avec un sourire forcé pour Celeen, il traversa le camp pour rejoindre les rangs du lieutenant Toydlick.

L'istrief d'Er'gaven était à terre, le poitrail explosé par le marteau d'un nain. Le jeune homme y était maintenant habitué. Garder sa monture en vie plus de deux combats d'affilée était un véritable défi. Les soldats lançaient même des paris lors des repas au mess.

C'était une femelle, survivante de neuf raids, qui détenait le record actuel et amenait les mises les plus grosses. Les jeux d'argent étaient interdits, mais aucun officier n'y aurait mis son nez : le moral des troupes en dépendait trop.

Er'gaven se remit d'aplomb et repoussa du pied le cadavre fumant de sa monture. Le rang des lanciers s'était refermé pour leur accorder un répit. Un coup d'œil à son épaule confirma les craintes du soldat. Sa chute avait rouvert la blessure de la veille.

Il y avait bien des elfes au don de soin au campement, mais ils avaient tellement de plaies à refermer, de moignons à stabiliser, de vies à sauver… Les simples entailles étaient recousues par les blessés eux-mêmes.

Er'gaven n'était pas un bon couturier et ses points de suture avaient sauté. Sans sa main droite à son plein potentiel, il serait incapable de manier son épée. Sans plus d'hésitation, il décrocha la fiole à sa ceinture, la déboucha d'un coup de pouce et la vida d'un trait.

La brûlure qui suivit le liquide translucide lui arracha un cri rauque qui se perdit dans le vacarme de la bataille. Il eut l'impression qu'un nain venait de lui planter une dague dans l'abdomen. En moins d'une seconde, la douleur se diffusa dans tout son organisme. Pourtant, au-delà de la souffrance, Er'gaven sentait grandir en lui un pouvoir qu'il n'avait jamais connu.

C'est à peine s'il réussit à le contenir pendant que les lanciers chargeaient leurs adversaires, boucliers en avant. Quand enfin, ils s'écartèrent à nouveau, Er'gaven relâcha tout contrôle. Le feu ne sortit pas seulement de ses paumes, mais de son corps tout entier, consumant ses vêtements. Il émanait de tous les pores de sa peau, de sa bouche bée en un cri de rage, de ses narines dilatées, de ses yeux exorbités. Il n'était plus qu'aura.

C'est à cet instant qu'il comprit : l'aura pure n'était pas un péché. C'était un abandon total aux mains des Follets. C'étaient eux qui crachaient ce feu. Le jeune homme sentit qu'il comprenait enfin la transe dans laquelle étaient les incantateurs lorsqu'ils transféraient un mage d'un monde à l'autre. Il sut qu'ils avaient raison d'obéir aux dieux de ce monde.

Er'gaven perdit toute notion du temps. Il ne voyait plus devant lui. C'étaient les Follets qui voyaient à travers lui.

Lorsqu'ils quittèrent son corps, il tituba. Il était à la fois vide et entier. La douleur irradiait dans chacun de ces muscles, mais une sérénité infinie l'occupait.

Le jeune homme se laissa remonter par un elfe sur la croupe de son istrief. Il ne ramassa même pas son épée. Abandonnée sur la cendre.

Déjà inondée par le bleu pétrole et le rouge du sang. Il n'en avait plus besoin. Il ne serait pas seulement l'envoyé des Follets, il serait leur réceptacle en Eowhull. Peu importait la douleur, il avait trouvé comment rembourser sa dette.

IX

Le vent charriait une odeur de charnier. Ycesth avait raison, les combats n'étaient pas loin. Combien de temps faudrait-il avant que les saurials ne puissent même plus traverser le désert ? La matriarche avait déjà prévu leur plan B.

Nirvielle n'était pas une simple lycanthrope perdue. C'était la fille bâtarde d'une alpha et d'un loup inférieur. Bannie de son propre clan à la mort de sa nourrice, elle espérait bien revenir dans les Terres sauvages et prendre la place de sa génitrice. Les reptiliens avaient promis de l'aider à accomplir sa quête si elle leur permettait de circuler sur le territoire de sa future meute. Ils poseraient ainsi les premières pierres d'une nouvelle route commerciale.

De leur côté, Nathanaëlle et Arthaer avaient donné tout leur argent à Ycesth en gage de gratitude. La mage espérait que la matriarche n'attendait rien de plus d'elle. Elle ne comptait pas rester plus longtemps que nécessaire dans ce monde. Encore moins pour payer une dette.

Les équibots avançaient mécaniquement. Un pas après l'autre, au rythme des tours d'engrenages. Leur régularité et la monotonie du paysage étaient hypnotisantes. Nathanaëlle somnolait. Ses yeux entrouverts ne distinguaient qu'une infinité de minuscules grains noirs.

La jeune femme avait été déçue de découvrir que, comme les elfes, les saurials n'avaient pas de miroir. Elle s'était résolue à se couper les cheveux à l'aveuglette. Les nourrices étaient bien plus douées : ses mèches auburn ébouriffées n'étaient pas toutes égales, mais au moins sa tignasse lui tenait un peu moins chaud.

Arthaer, lui, tendait l'oreille. Il écoutait les cours que dispensaient tour à tour les membres de la guilde aux plus jeunes. De l'astronomie pour se repérer dans le désert, des recettes de cuisine, des valeurs d'échange pour la vehnä, le bois et les étoffes qu'ils transportaient... Le vocabulaire saurial de l'elfe était limité, mais il comprenait des bribes, parfois des passages entiers.

Il était très intrigué par le schéma familial de la guilde, car il était incapable de dire qui étaient les parents de chacun des enfants. Ils étaient une seule fratrie, élevée par tout le monde à la fois. S'il avait été humain, cela lui aurait sûrement rappelé le dicton : « Il faut tout un village pour élever un enfant ». Mais il était sylvain et cette mise en commun des biens, jusqu'aux enfants, le troublait au plus haut point.

Il avait aussi été très surpris de découvrir que les écailles des enfants n'étaient pas leurs définitives et qu'elles étaient bien plus fines et molles. Si un saurial adulte pouvait survivre deux longues semaines sans boire, leur descendance n'en était pas capable avant sa dernière mue, vers ses quinze idhrinns.

Ce jour-là, c'était Mezfang, le compagnon d'Ycesth, qui chevauchait au milieu des enfants. Il leur donnait un cours de langue naine. Pour des commerçants nomades, connaître toutes les langues d'Eowhull était une nécessité. Alors qu'il s'attaquait au vocabulaire des céréales, des épices et de la nourriture en général, un bourdonnement inhabituel attira l'attention d'Arthaer.

Des insectes, comprit-il rapidement et il se désintéressa du bruit. Le bourdonnement s'amplifia, l'aura de l'essaim s'approcha, mais le druide n'était pas inquiet. Ils avaient déjà croisé la route de ces bestioles du désert avec Nathanaëlle et, aussi impressionnantes soient-elles, elles s'étaient contentées de les survoler avant de disparaître.

Soudain, un cri d'alarme retentit, donné par un saurial en tête de file.

« Nuée de wileloï'reis ! Tout le monde descend ! Sortez vos armes ! »

Désorientés, Arthaer et Nathanaëlle obéirent. Tous les autres savaient quoi faire et dégainaient leurs lames. La mage ne mit pas longtemps à comprendre elle aussi lorsqu'elle vit les énormes guêpes vertes se ruer vers les engrenages des équibots. Ces insectes ne pollinisaient pas de fleurs. Il n'y en avait de toute façon pas dans le désert. Elles buvaient l'aura. Et si la guilde les laissait faire, ils perdraient l'équivalent de trois jours de marche au moins.

Une rapière dans chaque main, Ycesth s'avança la première vers l'essaim, suivie de tous les autres saurials adultes à l'exception de Lancel. Le conteur éloignait les enfants du danger. Sans attendre, Nathanaëlle défit la hache accrochée dans son dos et les rejoignit.

Aucun insecticide ne serait venu à bout de ces monstres aussi gros que des rats. D'un seul coup, la jeune femme en trancha deux, mais a contrario les coups des reptiliens étaient maladroits. Les wileloï'reis étaient agiles, rapides… Et nombreuses. Malgré l'aide de la mage, la guilde fut très vite dépassée. Le bourdonnement couvrait presque les cris enragés des saurials. Le vol anarchique des guêpes était désorientant.

Un cri mi-lupin, mi-humain, retentit, glaçant. Nirvielle avait été piquée et son bras gauche enflait à vue d'œil. Elle aussi encerclée, Nathanaëlle repoussa du plat de sa lame un insecte qui s'approchait dangereusement de sa gorge. Chaque fois qu'elle en tuait une, deux autres prenaient sa place. Il en arrivait toujours plus.

Face au chaos, Arthaer se sentait impuissant. Sans entraînement guerrier, il était inutile. Lancel l'avait d'ailleurs bien compris et l'avait entraîné à l'écart avec les enfants. Mais le druide n'était plus tout à fait un enfant et sentir l'étau se resserrer autour de Nathanaëlle l'angoissait au moins autant qu'elle. Une idée, folle, lui traversa l'esprit. Il la repoussa.

Les coups de la jeune femme étaient de plus en plus imprécis. Ses bras étaient gourds. S'agiter sous la chaleur d'Eos lui donnait le tournis et les autres combattants n'étaient pas plus vaillants. La mage voulut se connecter à son aura, mais elle sentit soudain un poignard s'enfoncer sous son omoplate. De douleur, elle relâcha son attention.

Un dard venait de s'enfoncer sous sa peau et dans son muscle. Une cloque se forma et elle fut bientôt incapable de se redresser complètement.

Arthaer sentait la douleur et la peur de son ami. Désespéré, il implorait les Follets de tout son être, dessinant des cercles infinis sur le dos de sa main tremblante, mais aucun miracle ne venait sauver la seule personne au monde qui acceptait sa présence. Submergé par la peur, il laissa son aura se déverser.

L'instant suivant, les wileloï'reis furent prises de violents spasmes et chutèrent, comme frappées en plein vol. En quelques secondes, elles gisaient toutes au sol. Tous se regardèrent, hébétés. Avec un sourire, Nathanaëlle tourna son regard vers le druide et bientôt tous les autres firent de même.

***

Le temps se figea. Arthaer sentit que la peur des saurials se redirigeait de l'essaim vers une nouvelle cible. Lui-même.

Nirvielle était la plus menaçante. Ses poils hérissés dévoilaient une musculature puissante. Du sang coulait de sa blessure à l'épaule et un hématome se formait déjà. La gueule entrouverte sur ses deux rangées de crocs, elle réprimait à peine un grondement sourd.

Lancel s'était éloigné de lui, se postant en rempart devant ses protégés. Arthaer sentait que l'histoire venait de se répéter.

Pourtant, Ycesth brisa la stupeur de l'instant en marchant vers lui d'un pas neutre.

« Est-ce que c'est toi qui as fait ça ? »

Il n'y avait aucune accusation dans sa voix.

« Oui. »

Rien ne servait de mentir.

« Merci. »

Face à l'étonnement du druide, la matriarche ajouta :

« Tu viens probablement de nous sauver la vie. »

Arthaer ne sut quoi dire, trop interloqué pour répondre.

« Pourquoi ne pas l'avoir fait plus tôt ?

— Je… ne connais pas bien mon pouvoir. »

Il omit de préciser que c'était la raison de son bannissement. Peut-être que les saurials ne connaissaient pas les légendes de druides maudits. Il n'allait pas s'en plaindre.

Et puis, sans plus de cérémonie, on banda les pustules dues aux piqûres des wileloïreis – elles disparaîtraient en quelques jours –, chacun remonta sur son équibot et le convoi reprit sa route. Comme si rien d'anormal ne s'était passé. Comme si Arthaer n'était pas un parasite.

L'enfant en fut si surpris qu'il pensa un instant que c'était un piège. Que la guilde allait le tuer dans son sommeil. Il n'en fut rien. Ni cette nuit-là ni les suivantes.

Nathanaëlle et Arthaer commençaient déjà à avoir leurs rituels. Le soir, l'elfe aidait Lancel à canaliser l'énergie des enfants. La pyromage faisait la lessive. Pas ce soir-là. Le tonneau se vidait plus vite depuis que la guilde avait accueilli deux voyageurs aussi vulnérables à la soif que des enfants saurials. Ils ne pouvaient plus se permettre de perdre la moindre goutte d'eau.

Arthaer continuait de condenser l'humidité de l'air chaque jour, mais c'était juste assez pour assouvir sa soif et celle d'un autre enfant. Cependant, la sauriale spécialiste de l'astronomie l'affirmait : le lendemain, ils croiseraient la route d'une réserve souterraine.

De l'aube au crépuscule, toute la guilde scruta l'horizon. La bouche sèche, les yeux irrités par les cendres qui s'infiltraient dans leurs chèches, ils commençaient à douter. Le soir venu, aucune cheminée de métal n'avait brisé les courbes des dunes. Il fallait se rendre à l'évidence : la cendre avait englouti ce point d'eau. Il réapparaîtrait un jour, quand le vent aurait charrié la poussière plus loin, quand les dunes mouvantes se seraient installées ailleurs. Mais cela ne changeait pas le problème : les tuyaux étaient enfouis. Inaccessibles.

Quand Ycesth décida qu'ils s'arrêteraient pour la nuit, des murmures se propagèrent. Pour la première fois, Nathanaëlle voyait la guilde se diviser. Elle ne comprenait que le ton des protestations, mais Arthaer lui répéta les bribes qu'il arrivait à traduire.

« On ne devrait pas s'arrêter !

— Comment voulez-vous avancer sans dormir ? Les équibots marchent tout seuls, mais il faut bien les diriger.

— Je tiendrai bien quelques heures de plus si ça peut nous éviter de mourir de soif.

— Nous n'aurions jamais dû les accepter… »

Sans même voir le doigt pointé vers lui, Arthaer devina qui était la cible de ce dernier reproche. Le brouhaha se généralisait et personne ne semblait capable de se mettre d'accord.

Avec détachement, Ycesth descendit de son équibot et se tourna vers ses compagnons de voyage.

« Allons, allons ! La situation n'est pas anodine, mais aussi préoccupante soit-elle, elle n'est pas critique. Nous allons simplement faire un détour pour rejoindre une réserve plus au nord. Nous perdrons trois jours pour la rejoindre puis trois jours pour reprendre notre itinéraire, mais nous ne sommes pas en danger.

— Il ne reste plus rien ! protesta un autre saurial. Dans trois jours les enfants seront aussi secs que la vehnä à la saison des moissons !

— Rappelons qu'Arthaer produit chaque jour de l'eau. Les adultes se rationneront au strict minimum. Les enfants boiront le reste.

— Je ne suis pas une sauriale, et ces deux-là non plus, nous ne tiendrons pas aussi longtemps que vous, contesta Nirvielle. Nous sommes trop avec de grands besoins. Même si nous résolvons le problème cette fois-ci, il se reproduira. »

Même ceux qui n'accusaient pas les deux voyageurs se mettaient à douter. Les autres étaient de plus en plus bruyants. Ils demandaient à Ycesth de prendre la meilleure décision pour la guilde, pas pour deux inconnus.

« On les a aidés, on les a sauvés. Mais on n'a pas de dette envers eux !

— Ils voulaient traverser le désert qu'ils souffrent des mêmes problèmes que nous à cause de leurs foutues guerres ! Si les nains n'étaient pas occupés à protéger leurs collines, ils pourraient nous fournir de quoi construire trois fois plus de réserves. Mais non ! Leurs peuples ne sont pas capables de rester en paix !

— Ça suffit ! »

Les mains sur les hanches, Ycesth laissait glisser son regard sévère sur chacun des membres de la guilde. Ses arcades sans sourcils étaient froncées, sa bouche pincée.

« Arthaer a exterminé un essaim de wileloï'reis. Que direz-vous si nous devons en combattre un nouveau et qu'il n'est plus là ? Que j'ai pris la bonne décision ?

— L'humaine ne fait rien et c'est celle qui boit le plus !

— C'est parce qu'elle est enceinte ! cria Arthaer, rouge de colère. Vous ne pouvez pas abandonner une femme enceinte !

— Enceinte ? »

Le mot se répandit comme une traînée de poudre, bientôt répété par la douzaine de saurials. Les reptiliens étant ovipares, le concept leur était assez flou. Mais ils savaient ce que cela voulait dire.

« Pourquoi ne pas l'avoir dit ? s'enquit Ycesth, les yeux toujours froncés.

— Justement pour ne pas être vue comme un boulet à traîner, avoua Nathanaëlle. Malheureusement, j'en suis quand même devenu un.

— Aucune personne qui enfante n'est un fardeau, la contredit Lancel.

— Puisqu'Arthaer est nécessaire en cas d'attaque et que Nathanaëlle porte un enfant, le débat est clos, conclut la matriarche. Et, aussi frustrés que vous puissiez être par cette décision, souvenez-vous pourquoi nous avons décidé de les aider. »

Leur générosité. Nathanaëlle avait beau croiser des regards hostiles, elle ne pouvait que les admirer pour cette qualité. Peut-être n'était-ce que celle d'Ycesth. Au moins était-elle assez grande pour rassurer toute la guilde.

« Montons le camp et dormons maintenant, ordonna la sauriale. Nous partons tôt demain et nous ne nous arrêterons pas avant d'avoir trouvé cette réserve. »

Malgré quelques murmures énervés, la guilde entière se plia à la décision de leur cheffe. Le camp fut monté, comme tous les autres soirs, et chacun s'acquitta de ses corvées. Pourtant, tout n'était pas comme d'habitude : les enfants étaient plus calmes, les adultes sur les nerfs, et les dés restèrent rangés. Personne n'avait le cœur à jouer.

Seule attraction de la soirée, Nathanaëlle était devenue le centre d'attention du campement. Tous se pressaient autour d'elle et s'avançaient pour toucher son ventre rebondi. Seules Nirvielle et Ycesth restaient à l'écart. Les questions fusaient. Était-il désiré ? Comment allait-elle faire ? Était-ce la raison de sa fuite ? Qui était le père ?

La jeune femme luttait pour ne pas repousser ces intrusions dans son espace vital et son intimité. Elle ne voulait pas répondre à toutes ces questions, ne voulait pas que toutes ces mains se posent sur elle. Surtout, elle refusait de parler d'Er'gaven et de la façon dont elle l'avait laissé derrière elle. Arthaer sentit sa détresse.

« Laissez-lui un peu d'air. S'il vous plaît, elle a besoin de repos. »

À regret, les saurials reculèrent. Les murmures réprobateurs reprirent et Nathanaëlle s'en sentit un peu coupable. Pourtant, dès qu'elle le put, elle s'isola dans une tente.

Assise sur une couverture, elle respira longuement. Elle avait peu d'occasions d'être seule… avec lui. La chair de sa chair. Celui pour qui elle avait décidé de traverser un désert. La jeune femme regrettait ne pas avoir posé plus de questions à sa mère sur sa grossesse. Elle n'avait aucune idée de ce qui était normal ou non et tout l'inquiétait.

À commencer par son ventre qui s'arrondissait si lentement. Était-ce parce qu'elle ne mangeait pas assez ? Il lui arrivait d'avoir des fringales dévorantes en plein milieu de la journée, mais… Elle ne pouvait pas demander une collation à des gens qui ne voulaient déjà qu'à moitié de sa présence !

Tout à ses anxiétés, la jeune femme faillit ne pas sentir le petit gargouillis dans son ventre. Ça aurait pu être la digestion, mais… une intuition lui soufflait que ce n'était pas comme d'habitude. Elle se figea et retint sa respiration. Le gargouillis recommença. Nathanaëlle n'avait pas besoin d'un livre pour le lui apprendre : c'était son bébé. Son tout petit, tout fragile, qui bougeait ! C'était sûrement cette idée qui rendait la sensation aussi douce que le battement d'ailes d'un papillon.

La sensation ne dura pas plus d'une minute, mais ce fut la plus belle de la vie de la future mère. Elle n'allait pas avoir ce bébé par défi envers ceux qui voulaient l'en empêcher. Peut-être cela l'avait-il motivée au début. Mais ce n'était plus le cas. Une seule vérité s'imposa à elle : elle aimait cet enfant.

Une seule pensée ternissait sa joie. Celle d'Er'gaven, qui aurait dû vivre ce moment avec elle. Qui n'en vivrait aucun de la vie de ce petit être. C'était de sa faute ! essayait-elle de se convaincre. Il aurait dû accepter de la suivre. C'était le seul moyen ! Elle avait été obligée de lui mentir, n'est-ce pas ? Pourtant, le doute subsistait. Aurait-elle dû attendre un peu ? Essayer de lui parler, encore une fois ? Après tout… Elle était partie en coup de vent, quelques heures après l'annonce de messire Sayr'ha. Avait-elle vraiment laissé le temps à son compagnon de prendre sa décision ?

La jeune femme sentit la culpabilité et les regrets l'envahir. Comme chaque fois que cela arrivait, elle se répéta que ces sentiments étaient causés par les hormones et que quand elle serait de retour chez elle, elle ne les ressentirait plus aussi intensément. Elle se répéta ce mensonge jusqu'à le croire, au moins un petit peu.

De longues minutes après, quand les pleurs de la jeune femme eurent cessé, Arthaer la rejoignit. Il mordillait ses lèvres et frottait ses mains l'une contre l'autre.

« Qu'est-ce qu'il y a ? demanda Nathanaëlle sans lever le nez de sa couture.

— Je suis désolé d'avoir trahi ton secret… J'ai paniqué. »

La jeune femme n'allait pas le nier, quand Arthaer avait révélé sa grossesse, elle s'était bien sentie trahie. Il venait de la condamner, elle en était sûre. Pourtant, dans sa maladresse, il l'avait sauvée.

« Tu as fait ce qu'il fallait et… ça a marché ! Je ne peux pas t'en vouloir. »

Les mouvements fébriles de l'enfant se calmèrent. Il s'assit.

« Je ne pensais pas qu'ils voudraient se débarrasser de nous… Ils ont été si gentils jusqu'à maintenant.

— Ils se protègent eux-mêmes. Ils n'ont peut-être pas tort. »

Au fond, Nathanaëlle n'aurait pas pu en vouloir aux nomades de l'abandonner. Elle aurait sûrement pris la même décision. Elle aurait aimé être comme Arthaer, à faire passer les autres avant elle, mais cela aurait été se mentir à elle-même que de penser qu'elle aurait sauvé leur vie plutôt que la sienne. L'elfe, lui, l'aurait fait sans hésiter s'il s'en était senti capable. C'était précisément pour cette raison que la mage n'avait pas peur de son pouvoir, quel qu'il soit.

Un silence s'installa. La toile de tente claquait. On entendait des grognements de menta'nurus. L'aiguille de Nathanaëlle traversait le tissu. Sa couture n'était pas très régulière. Arthaer était frustré de ne pas voir son ouvrage.

« Qu'est-ce que tu fais ?

— J'essaie d'ajuster un pantalon pour qu'il soit à ta taille. »

La langue à moitié sortie, Nathanaëlle se concentrait pour ne pas se piquer. Arthaer resta coi. Inquiète, la jeune femme releva la tête. Il souriait jusqu'aux oreilles.

« Eh ben, qu'est-ce qu'on dit ? le taquina la mage.

— Merci ! Désolé, j'étais…

— Du calme, je te charrie ! Allez, va donc rejoindre les autres. Lancel a promis de raconter la légende du serpent géant qui vit sous le désert. Ça te fera une anecdote de plus dans ton encyclopédie interne. »

Arthaer acquiesça à s'en faire craquer les vertèbres et sortit en sautillant. À le voir aujourd'hui, Nathanaëlle ressentait un bonheur amer. L'enfant n'aurait pas dû être si heureux à l'idée qu'elle lui recouse un simple ourlet. La jeune femme n'en détestait que plus les elfes et leurs foutues superstitions. Heureusement que les nains étaient moins illuminés. Nathanaëlle espérait de tout son cœur qu'Arthaer trouverait sa place parmi eux.

Elle finit son ouvrage, apaisée. Pourtant, elle ne le serait pas longtemps. Le lendemain matin, un enfant, Loess, tomberait de son équibot. Il aurait tourné de l'œil, déshydraté.

X

Un silence de mort était tombé sur le convoi. Loess était dans les bras de Lancel, à demi-conscient après avoir bu les quelques gorgées d'eau qu'Arthaer venait de condenser. Plus personne ne faisait cours aux trois autres bambins.

Certains saurials commençaient à penser qu'il faudrait collecter du sang des adultes pour le faire boire aux enfants. Cela était déjà arrivé dans certaines guildes, quand les réserves souterraines n'existaient pas encore. Personne n'avait formulé l'idée, mais elle était bien présente. Aussi lourde sur leurs épaules que la chaleur d'Eos.

Pour la première fois, la nuit tomba, mais la caravane ne s'arrêta pas. Elle ne s'arrêta pas non plus quand Eos se leva à nouveau, pas avant d'avoir trouvé de l'eau. Toute la guilde était plongée dans un état de somnolence dangereuse. En manque de sommeil, Arthaer parvenait à condenser de moins en moins d'eau. Les enfants étaient tous tombés dans une léthargie migraineuse.

Nathanaëlle n'espérait plus qu'une chose : que toute son eau aille à son bébé. Dans un état second, c'était la seule pensée qui traversait encore son esprit embrumé.

Dans ce désert, il n'y avait pas que les éternelles dunes identiques qui donnaient l'impression de tourner en rond. Même pour leurs besoins élémentaires, les voyageurs étaient bien vite de retour à la case départ.

La vision de tous était brouillée par l'épuisement, les mirages se faisaient bien plus courants qu'à l'accoutumée. Si Ycesth s'était d'abord montrée optimiste, elle était maintenant silencieuse. Répéter en boucle que tout allait bien se passer ne faisait qu'accroître les tensions. Lorsqu'Eos atteignit son zénith ce jour-là, Lancel proposa de donner une partie de son sang aux enfants. La matriarche refusa. Ils n'en étaient pas encore là.

Le soir, les enfants étaient incapables d'avaler quoi que ce soit. Tous les adultes étaient en cercle autour d'eux, la gorge nouée. Les regards envers Nathanaëlle, Arthaer et même Nirvielle étaient maintenant pleins de colère et de dégoût. Ils n'étaient pourtant pas en bien meilleur état. La jeune femme comprit que si les saurials ne les abandonnaient pas, ils auraient attendu d'eux qu'ils partent d'eux-mêmes. Que les trois intrus ne prennent pas cette décision les révulsait.

Arthaer voulut condenser de l'eau pour la cinquième fois de la journée, mais son aura refusait de lui obéir. La bouche pâteuse, la tête prise dans un étau et remplie de brouillard, la magie qui coulait dans ses veines échappait à son contrôle. Cette fois, Ycesth accepta la proposition de Lancel. Une autre sauriale se proposa à son tour. La matriarche sortit alors deux couteaux et les désinfecta dans de l'alcool fort. Elle en appliqua ensuite sur l'avant-bras tendu des deux volontaires.

Nathanaëlle observait la scène, un peu en retrait. Elle vit la matriarche entailler la peau écailleuse et le sang épais et bleu couler dans les gobelets en métal. Mezfang versait le liquide salvateur dans la bouche entrouverte d'un enfant quand la pyromage fut jetée sur le côté par une masse de muscles et de poils.

Nathanaëlle entendit, au-dessus du grognement de la louve, le cri effrayé d'Arthaer. Plaquée au sol par les pattes puissantes de Nirvielle, sa hache coincée sous son dos, la jeune femme ne pourrait pas échapper aux crocs acérés qui plongeaient vers sa gorge. La lycanthrope avait décidé de régler le problème des saurials à leur place.

La mage sentit les pointes froides traverser sa peau et la salive visqueuse couler sur sa plaie. Son cœur battait à tout rompre et ses dernières inspirations étaient erratiques. Son ultime pensée alla à son bébé, qu'elle n'avait pas réussi à protéger.

Pourtant, sa trachée ne fut pas transpercée. Ycesth et trois autres saurials avaient réussi à tirer Nirvielle à eux. Elle s'était retournée vers eux et ils avaient soudain eu peur que, dans sa rage aveugle, elle tente de les tuer aussi, mais elle avait seulement émis un grognement plus rauque encore. Accroupie, appuyée sur ses pattes avant, elle regardait Nathanaëlle, visiblement déçue de ne l'avoir pas tuée.

La mage était incapable de bouger ou de reprendre sa respiration. Des étoiles dansaient devant ses yeux, comme des reflets sur une feuille d'aluminium froissée. Elle ne sentait même pas le sang couler de sa blessure. Arthaer se précipita auprès d'elle et posa ses mains sur son cou, plus frustré que jamais de ne pas pouvoir la soigner.

Ycesth le repoussa doucement et demanda qu'on lui apporte l'alcool et un linge. Alors qu'Arthaer voulait replacer ses doigts fins et tremblants, comme pour empêcher le sang de quitter le corps de la jeune femme, la matriarche le rassura :

« Elle va survivre. Elle est juste choquée. »

De fait, quelques secondes plus tard, Nathanaëlle clignait des yeux et déglutissait lentement.

Elle se releva doucement et ajusta elle-même le bandage de fortune qui avait été noué autour de son cou. Nirvielle n'avait pas bougé. Son pelage hérissé la faisait paraître encore plus grande que d'habitude. Le bleu de ses yeux était troublé par la haine. Quand elle prit la parole, sa voix n'était qu'un grondement sourd et inhumain. Elle parlait en dialecte saurial, mais Nathanaëlle en comprit l'essentiel. Le soir, autour du feu, les reptiliens parlaient souvent un langage hybride entre tous ceux qu'ils connaissaient et la jeune femme avait fini par s'y accommoder.

« Si vous ne me permettez pas de la tuer, grognait Nirvielle, qu'elle donne au moins son sang. Je vais donner le mien, mais je ne supporterai pas que vos enfants ne passent pas la nuit à cause de son égoïsme.

— J'ai déjà donné mon verdict, répondit Ycesth. Une femme portant un enfant est considérée comme vulnérable autant que l'enfant lui-même et a donc droit aux mêmes protections. Ce sont nos règles. »

Il n'y avait ni peur ni doute dans sa voix.

« Si tu veux donner ton sang, va rejoindre Lancel et Ulvariss. »

Nirvielle sembla hésiter à répondre, puis se ravisa et s'éloigna.

La situation était trop tendue pour s'arrêter plus que nécessaire. Lorsqu'elle remonta sur son équibot, Nathanaëlle prit soin de se placer derrière Nirvielle dans la file. Son cou ne saignait plus, mais elle garderait sûrement la cicatrice de la morsure avortée de la louve.

Sélénée était haute dans le ciel quand un cri – ou plutôt un gargouillis rauque – s'éleva à l'avant du convoi.

« Une réserve, parvint à articuler celui qui venait de l'apercevoir. »

Il avait raison. Là, à portée de vue, se dressaient deux tubes de métal. L'un un peu plus grand que l'autre. L'un bouché, l'autre non. Le temps qu'il fallut pour les rejoindre sembla à la fois une seconde et une éternité.

Ycesth descendit la première de son équibot. Elle posa sa main sur le tuyau… et la retira aussitôt. Il était brûlant. Sans attendre, elle sortit d'entre deux des écailles de son épaule droite une petite clef et l'enfonça dans la serrure. Il y eut un déclic et la porte s'ouvrit… sur une nouvelle porte. Celle-ci n'avait pas de serrure, juste une petite plaque qui n'était pas métallique. Sans hésiter, la matriarche cracha dessus. Elle s'ouvrit à son tour avec un grincement aigu.

Nathanaëlle découvrit alors une pompe à main de puits. En quelques mouvements, la matriarche avait rempli les verres de tout le monde. Mezfang vint alors la remplacer pour qu'elle puisse s'abreuver à son tour.

Alors que le saurial remplissait à nouveau les gobelets puis le tonneau, un autre reptilien lança un grappin, gardé au fond de la roulotte, pour qu'il s'accroche au bord du tuyau le plus haut. Malgré la chaleur et ses pieds nus, il escalada sans mal la cheminée de métal.

Ycesth observait le grimpeur avec attention.

« Que fait-il ? lui demanda Nathanaëlle.

— Il va nettoyer le filtre qui permet de recueillir l'eau sans les cendres.

— Comment avez-vous construit ces réservoirs ?

— Les nains nous ont aidés. Cela fait partie de notre pacte de neutralité. Les elfes nous prodiguent des soins à la demande, les nains nous ont offert des réserves d'eau. Le climat du désert est extrême. Dans quelques cycles de Sélénée, la pluie tombera sans discontinuer pendant des jours et des jours. Les réserves sont alors suffisamment remplies pour le reste de l'année.

— Et la double porte, à quoi sert-elle ?

— Aussi ingénieux soient les nains, nous ne faisons confiance qu'à nous-mêmes. Pour qu'aucun autre peuple que le nôtre ne puisse prendre possession du désert, nous avons exigé un système de sécurité qui nous permettrait, à nous seuls, d'avoir accès à la seule eau potable à des centaines de lieues à la ronde. Il se trouve que seule notre salive peut déverrouiller la seconde porte. Nous sommes toujours très prudents quand nous concluons des accords. Jamais personne ne profite de nous. »

Nathanaëlle était impressionnée par les saurials. Elle qui les voyait comme un peuple de marchands isolé, peut-être même primitif, les découvrait bien plus malins et organisés qu'elle ne le pensait. Les nains et les elfes avaient raison de ne pas les vouloir comme ennemis.

Si eux-mêmes avaient consenti à remplir leur part du marché, Nathanaëlle était de plus en plus inquiète d'en découvrir un qu'elle aurait conclu, sans le savoir, avec la matriarche. La générosité ne semblait finalement pas être ce qui caractérisait le plus Ycesth. Et la mage doutait de plus en plus de pouvoir échapper à l'accord tacite qui avait permis son sauvetage et dont elle ne connaissait même pas les clauses.

Les tensions étaient retombées. Le camp avait été dressé autour de la réserve. Les saurials avaient tenu à célébrer leur victoire, mais bien vite la fatigue les rattrapa. Les chants se turent, les jeux de dés cessèrent et Lancel ramassa les enfants pour aller les coucher sous une tente.

Nathanaëlle dormait déjà, elle n'avait pas osé se joindre aux festivités. Nirvielle ne semblait pas apaisée et le bandage serré autour de sa gorge empêchait la jeune femme de se détendre complètement.

À côté d'elle était posé un pantalon plié, à la taille d'Arthaer. L'elfe s'endormit en serrant le vêtement contre lui.

Les premiers embruns fouettaient le visage des nomades. Si les membres de la guilde ne semblaient pas s'en soucier, Nathanaëlle et Arthaer avaient l'impression que ces petites gouttes étaient autant de minuscules aiguilles qui s'enfonçaient dans leur peau, bientôt piquetée de minuscules cloques. La Mer d'acide n'avait pas été nommée par hasard… Ni l'elfe ni la pyromage n'osa s'en plaindre.

Les enfants ce jour-là avaient un cours d'elfique. À l'arrière de l'équibot dirigé par Nathanaëlle, Arthaer s'ennuyait ferme. Soudain, il lui vint une question.

« Comment tu vas l'appeler ? »

L'enfant n'eut pas besoin de préciser de qui il parlait. Nathanaëlle ne répondit pas tout de suite. Elle se rendit compte qu'elle s'était projetée jusqu'à son accouchement, mais jamais plus loin. Jamais jusqu'au moment de nommer son bébé. Au moins avait-elle une certitude :

« Je veux un prénom humain, dit-elle.

— Ça ressemble à quoi les prénoms humains ? À part Nathanaëlle bien sûr ! »

La jeune femme se mit alors à lister tous les prénoms qui lui venaient à l'esprit. Ceux de ses parents, de ses amis, des rois de France et autres célébrités plus récentes…

« Ça sonne bizarre quand même ! remarqua Arthaer.

— Pas pour moi… »

C'était un demi-mensonge. Il y avait tellement longtemps que la jeune femme n'avait pas entendu ces sonorités qu'elles lui paraissaient étrangères à elle aussi. Elle avait de plus en plus de mal à associer des visages aux prénoms, à leur donner un sens. Pour certains, ils étaient à peine plus familiers qu'un mélange aléatoire de consonnes et de voyelles. Il n'en était que plus urgent de rentrer chez elle.

Finalement, deux prénoms s'imposèrent à la jeune femme. Emma et Rémi. C'était des prénoms qui avaient été sur la liste de ses parents au moment de choisir son prénom à elle. Ils avaient trouvé Emma trop commun finalement. Mais c'était exactement ce que Nathanaëlle voulait. Elle ne cherchait pas l'exotisme ou l'originalité, elle voulait à se rattacher à celle qu'elle avait été.

« C'est très joli, lui confirma Arthaer. J'aimerais bien être là pour voir si ce sera un garçon ou une fille… »

C'était un vœu abstrait, impossible à réaliser bien sûr. Sans la Pulsation d'Eowhull, il y avait fort à parier pour que l'elfe ne survive pas plus de quelques minutes. Pourtant, c'était sincère. Nathanaëlle le sentit.

Après avoir abandonné Idriël, Er'gaven et les cadets, la jeune femme allait aussi devoir tourner le dos au druide. Elle ne regrettait pas sa fuite. C'était trop important pour elle. Mais elle aurait aimé être capable de la rendre moins coûteuse pour tous ceux qui l'entouraient.

« Ne sois pas triste pour moi, je ne serai plus tout seul là-bas. »

La jeune femme se tourna vers l'enfant, le cœur lourd. Encore une fois, il avait deviné ce qui la tracassait. Il avait beau être aveugle, il sentait toujours sa tristesse, son inquiétude et ses doutes. Laisser cet enfant derrière elle serait dur, mais il avait raison, les nains lui offriraient enfin le foyer qu'il méritait.

Après le silence du désert, l'agitation du port était presque trop bruyante. Le sable noir laissait soudainement place à l'écume marine. L'eau acide venait lécher les pilotis en bois des cabanes qui longeaient la rive. Des barques étaient attachées par des cordes à ces mêmes pilotis.

Ici, tout le bois était traité par un produit mis au point par les elfes pour éviter qu'il ne soit rongé par l'acide. Cela donnait aux bâtiments une teinte sombre et légèrement rougeâtre.

À l'horizon, on discernait la silhouette fusiforme des navires. Des galères sans voiles ni moteur – cela aurait nécessité bien plus d'aura que les saurials ne pouvaient en acheter –, mises en mouvement par les lourdes rames qui pendaient à bâbord comme à tribord.

Il circulait entre ces habitations des saurials, mais aussi des créatures que Nathanaëlle n'avait jamais vues. Hautes d'un mètre à peine, leur corps recroquevillé était couvert d'une peau nue et fripée. Leur tête de batracien était dotée d'yeux globuleux jaunes et maladifs et d'un bec épais. Un large trou se creusait au sommet de leur crâne, entouré de poils blancs épars et rempli d'eau. Les kappas marchaient parfois debout, parfois sur leurs quatre pattes griffues.

La guilde s'avança dans ce village insolite, coincé entre deux immensités hostiles. Des rires gras et une forte odeur d'alcool indiquaient bien vite le chemin de la taverne. Mais ce n'était pas la destination d'Ycesth. Les équibots marchaient dans l'écume que les vagues déposaient et emportaient à intervalle régulier. Nathanaëlle se tenait bien droite sur sa monture et Arthaer s'accrochait à sa tunique. Nirvielle non plus ne semblait pas à l'aise à l'idée de patauger ainsi dans l'acide. Savait-elle au moins nager ? se demanda la mage. Y avait-il des rivières ou des lacs dans les Terres sauvages ?

Sa question se tourna alors vers Arthaer. Et lui, savait-il nager ? Quelqu'un avait-il pris le temps de lui apprendre ?

« Non, répondit l'elfe quand elle lui posa la question.

— Mais…

— On n'a pas le choix. »

Aux yeux de la jeune femme, monter sur un bateau sans savoir nager était une folie. Elle aurait voulu lui dire qu'ils allaient faire le détour, qu'ils éviteraient les combats et que peu importait le temps perdu. Mais ce n'était pas vrai. Les papillons étaient de plus en plus présents dans son ventre. Elle se sentait de plus en plus lourde et ne pouvait pas prendre le risque d'accoucher en Eowhull. Il ne lui restait plus qu'à éviter que l'elfe ne tombe par-dessus bord.

Après avoir dépassé plus d'une vingtaine de cahutes, Ycesth leva la main droite pour annoncer leur arrêt. Elle descendit et l'eau acide qui recouvrit ses pieds écailleux ne sembla pas l'émouvoir. Elle s'avança vers le premier kappa qu'ils croisaient qui n'était pas occupé à faire monter des reptiliens dans sa barque.

Ycesth s'adressa à lui dans la langue sifflante des saurials et bientôt, les deux se serrèrent la main. La matriarche essuya cependant la sienne sur son pantalon dès qu'elle le put avec une moue de dégoût.

Elle venait de négocier la traversée de la Mer d'acide avec départ le lendemain matin. Ce serait donc leur dernière nuit dans le désert et ce n'était pas pour déplaire à Nathanaëlle ou Arthaer. Le rythme trop régulier des équibots finissait par les rendre fous d'ennui. Changer d'air, même pour un plus acide, ne pourrait leur faire que du bien.

Une certaine effervescence agitait le camp, installé en retrait de la plage et du port. La guilde n'aurait plus l'occasion de se rassembler autour d'un feu avant plusieurs cycles de Sélénée. Arthaer insistait toujours pour s'occuper de la blessure à la gorge de Nathanaëlle. L'elfe tapotait avec douceur les croûtes qui recouvraient les plaies avec un linge imbibé d'alcool quand Lancel s'approcha.

« Il paraît que tu sais beaucoup de choses, dit-il à l'enfant.

— Les elfes qui vont à l'académie sont bien plus érudits que moi.

— Je n'en suis pas si sûr. Et puis, ils ne sont pas là. »

Le conteur avait un sourire malicieux.

« Est-ce que tu voudrais prendre ma place ce soir et raconter une histoire que tu connais ? »

Arthaer n'était pas un grand orateur. Il n'avait pas eu d'occasions de le devenir. Il secoua la tête et la baissa vers ses chaussures. Nathanaëlle était attendrie. Elle revoyait tant de cadets à travers lui.

« Et si je t'accompagnais ? Avec mon feu.

— La magie te fait mal !

— Ce ne serait pas la première fois et je crois que ça me plairait bien de l'utiliser pour faire quelque chose de joli pour une fois. Qu'est-ce que tu en dis ? »

Le druide hésita puis hocha la tête rapidement.

Lancel rassembla les enfants. Quelques adultes se joignirent au public. Ycesth se tenait debout derrière tout le monde. Nirvielle était partie courir. Sélénée était presque pleine et vivre sur un bateau allait mettre son instinct à rude épreuve.

Bientôt, le silence se fit. Même les joueurs de dés, curieux, arrêtèrent leur manche. Arthaer avait l'impression d'être de retour plus de vingt idhrinns en arrière, sous le regard sévère de son précepteur. À l'époque, il l'avait jugé inapte à la maîtrise du don des Follets. Allait-il être meilleur aujourd'hui ? Il avait décidé de raconter la légende la plus ancienne de son peuple, celle de sa création.

Lorsqu'il prit la parole, sa voix tremblait :

« Il y a de cela des millénaires, les elfes et les nains n'existaient pas. Il n'y avait qu'un peuple unique : les nakfirs. Ils vivaient dans la Sylve, sous la protection des Follets. Leur royaume était bien plus étendu que celui des elfes aujourd'hui. Il était prospère et en paix. »

Alors qu'Arthaer se laissait embarquer par son propre récit et qu'il se replongeait dans les pages des encyclopédies lues par les nourrices de la communauté, sa voix s'affermissait. Il connaissait ces mots par cœur et c'était ce mythe, ou ce petit bout d'Histoire, qui le poussait à croire au peuple nain.

Assise aux pieds de l'enfant, Nathanaëlle conjura son aura et la concentra dans sa paume pour former une silhouette de feu aussi fine qu'un elfe et aussi petite qu'un nain : un nakfir. Arthaer continua :

« Les nakfirs vivaient selon des règles strictes, dans l'obéissance aux Follets. Ceux qui avaient des cheveux d'or étaient les élus de ces divinités et devaient être les décisionnaires. Dans chaque cité, les cinq nakfirs les plus purs étaient nommés Sages. Zülwir, Daacil et Foulh'vop étaient les trois cités primordiales. Leurs Sages dirigeaient toute la Sylve. »

Dans la main de Nathanaëlle, la silhouette fut rejointe par une dizaine d'autres, identiques, flottant au-dessus d'une forêt de flammes. La jeune femme savait déjà tout cela. Mais elle était toujours atterrée de combien le royaume sylvain était resté intact après des millénaires.

Seule Zülwir avait dû être relocalisée, car recouverte par les cendres après la Première Guerre. Tout le reste semblait immuable.

« Certains nakfirs n'aimaient pas les règles de la Sylve. Ils refusaient que l'apparence d'une personne lui donne plus de droits qu'une autre et, surtout, ils voulaient voyager. Explorer. C'était interdit. Les Sages disaient que les Follets avaient créé la Sylve pour les nakfirs et que quitter cet Éden serait suicidaire et irrespectueux envers ces divinités. »

Pour un peuple de nomades, l'interdiction de voyager devait paraître bien absurde. Pourtant, les enfants n'interrompirent pas Arthaer pour soulever cette incongruité. Les yeux plongés dans les flammes mouvantes de la pyromage, ils se laissaient bercer par la voix de l'elfe.

« Un jour, ces dissidents se sont réunis et ils ont désobéi aux Sages. Ils sont partis vers l'ouest, exactement comme nous aujourd'hui. À cette époque, il n'y avait pas de désert, mais une plaine immense. Elle n'était pas verdoyante comme la Sylve et, au milieu de ce paysage aride, les nakfirs aventureux eurent peur d'avoir eu tort. Pourtant, ce sont eux qui découvrirent les collines d'Ankor et leurs richesses. Eux, qui creusèrent les mines et apprirent à manier le métal et l'aura pure pour créer des machines. »

« À ce moment-là, les nakfirs n'existaient plus. Ceux qui étaient restés dans la Sylve étaient devenus plus grands et plus pâles : c'étaient des elfes. Ceux qui étaient partis étaient devenus des nains : plus petits encore à force de vivre sous terre. Leurs cheveux n'étaient plus dorés ni argentés, leurs poils avaient envahi leur visage et formaient une barbe fournie. Les elfes voyaient dans ces changements une déchéance. Pour eux, les nains avaient été abandonnés par les Follets. Et c'est ainsi que le peuple des nakfirs a donné naissance aux deux peuples les plus sanguinaires d'Eowhull. »

Les applaudissements résonnèrent dans le silence du désert. Pourtant, la honte se lisait sur le visage de l'enfant. Nathanaëlle fit disparaître les épées de feu qui s'entrechoquaient dans sa main et la posa sur l'épaule d'Arthaer. Elle se pencha vers lui et lui chuchota :

« Tu n'es ni un nakfir ni un Sage. Tu n'as rien à te reprocher. La preuve ! »

Elle désigna d'un coup de menton la guilde qui l'ovationnait.

« Tu aimes la justice ? Applique-la à toi aussi. »

Arthaer hocha la tête et sourit timidement.

Quelques minutes plus tard, il courait avec les autres enfants pour une dernière partie de wendigo'wak contre pyromage. Nathanaëlle se demanda si elle réussirait à lui redonner confiance en lui avant de partir. Chaque fois qu'il lui semblait qu'il progressait, tout ce dont il se blâmait revenait le hanter.

Ce n'est que quand la mage tourna la tête vers le ciel étoilé, le cœur serré en pensant à Er'gaven, qu'elle distingua la silhouette du dragon. Il traçait de larges cercles autour de leur camp. L'avait-il vue utiliser son feu ?

« Ne t'inquiète pas, la rassura Ycesth en suivant le regard de la jeune femme. Il n'osera pas attaquer sans l'ordre d'un elfe et les dragons ne s'aventurent pas au-dessus de la mer d'Acide. Nous serons bientôt tranquilles. »

Malgré ces mots réconfortants, Nathanaëlle ne put détacher ses yeux de la voûte céleste avant que le dragon ait disparu à l'horizon.

XI

Le ciel se teintait de couleurs pastelles. Er'gaven, affalé sur la croupe d'un istrief qui n'était pas le sien, était épuisé. Se battre était devenu un automatisme et il ne trouvait plus d'excitation que quand il buvait sa fiole d'aura. Une tous les jours. Ses supérieurs ne s'en plaignaient pas. Le carnage qu'il laissait derrière lui après les quelques minutes d'euphorie valait bien le précieux liquide. Quant à Er'gaven, cela le vidait. Sa gorge était irritée, sa voix était devenue plus éraillée. Celeen s'en était inquiétée, pas lui.

Les grandes tentes rectangulaires du camp se rapprochaient enfin. Les blessés furent portés jusqu'à l'infirmerie, soutenus par leurs camarades à peine plus vaillants. D'autres se précipitèrent vers le mess pour éviter l'inévitable queue qui allait se former.

Un attroupement devant la tente de l'armurerie attira le regard du jeune homme. Malgré la fatigue, il décida d'aller voir ce qu'il se passait et Celeen lui emboîta le pas en jactant. Elle n'était jamais fatiguée celle-là, pensa Er'gaven en levant les yeux au ciel.

« Je n'arrive pas à croire que tu ne m'aies pas vu lui trancher le bras ! La coupure était super nette et il pissait le sang ! »

Le guerrier acquiesçait, l'esprit encore embrumé par l'extase de l'aura pure. Celeen ne prenait jamais ombrage du manque de réponse de son ami. À croire qu'elle avait simplement besoin de parler, même à un mur, même dans le vide.

Une trentaine d'elfes et quelques humains s'étaient regroupés en arc de cercle, une foule bien inhabituelle considérant l'épuisement des soldats quand ils revenaient du front. Er'gaven se fraya un chemin pour apercevoir l'objet de toute cette agitation, Celeen sur les talons. Ils s'attirèrent quelques regards courroucés. L'elfette leur adressa un sourire contrit, Er'gaven les ignora.

Après quelques coups de coude *malencontreux*, les deux camarades découvrirent une chaise de bois plantée au milieu de la foule. Et sur cette chaise, un nain, les mains ligotées derrière le dossier et les chevilles attachées aux pieds. Son casque de métal et son plastron avaient été jetés à terre, ne lui laissant que son pantalon et sa chemise tachés de sueur et de sang.

Son sourire blanc contrastait avec le noir de sa peau, de ses cheveux et de sa barbe bouclée. Du sang bleu pétrole coulait au coin de ses lèvres et sur sa tempe droite. La peau de son bras droit était fripée et couverte de cloque. Il avait croisé la route d'un pyromage.

Derrière lui, deux elfes se tenaient sur leurs gardes, leur lance prête à s'enfoncer entre ses côtes. Face à lui, la capitaine Dysri'anne. L'officier était aussi bien mise que le nain était débraillé. Ses cheveux aux teintes dorées étaient relevés en un chignon impeccable. Pourtant, derrière cette apparence apprêtée, se cachait une haine profonde. Dans une tunique cintrée, elle se tenait à quelques pas du prisonnier, un sourire carnassier aux lèvres.

Elle imposait un respect tel que la foule, pourtant excitée par la situation inhabituelle, attendait son verdict en un silence relatif. En cet instant, l'elfe incarnait la Faucheuse elle-même, venue moissonner une âme corrompue par les démons de ce monde.

« Je ne te mentirai pas, commença-t-elle d'une voix doucereuse. Nous ne faisons pas de prisonniers. Ou… pas pour longtemps ! »

Er'gaven sentit un frisson lui descendre dans l'échine comme s'il avait lui-même été assis sur la chaise, à la merci de la capitaine.

« Maintenant, nous savons aussi être cléments et accorder une mort juste. Courte et sans douleur. Attention ! Ce n'est pas encore une promesse ! Nous pouvons aussi être… Moins généreux. »

Toutes les hésitations étaient mesurées pour faire monter l'angoisse du nain et Dysri'anne y prenait visiblement un plaisir fou. Le prisonnier ne montra aucun signe de faiblesse. La tête haute, un fier sourire aux lèvres malgré le sang qui en coulait, il semblait narguer son bourreau.

« Je vais te poser une question toute simple. Comment désactive-t-on le dôme d'aura ? »

Le dôme était un champ énergétique créé grâce à l'aura pure. C'était le seul obstacle qui empêchait les dragons de pénétrer en Ankor et de dévaster le royaume par les cieux. Sans ce rempart magique, les nains n'auraient eu aucune chance.

Sans surprise, le nain resta silencieux. Une lueur amusée passa dans son regard bleu sombre, presque noir. Il n'était pas le premier à être interrogé de cette façon et n'allait sûrement pas être le dernier. Aucun n'avait encore craqué. Savaient-ils au moins comment le désactiver ou était-ce gardé secret par les plus hauts gradés ? Personne ne savait.

La capitaine s'approcha et se pencha vers le prisonnier, sans se départir de son sourire.

« On se croit drôle ? Crois-moi ce qui va suivre ne te fera pas rire. »

Le nain lui cracha alors au visage, lui arrachant un cri de surprise. La bave mêlée au sang l'avait atteinte dans l'œil et coulait le long de son nez aquilin. Un linge lui fut vite apporté par un subordonné, mais elle ne souriait plus. Sa voix se fit cassante :

« Très bien, passons aux choses sérieuses. »

La capitaine dégaina un poignard à la lame effilée. La poignée en bois noueux était gravée d'un rond honorant les Follets. L'elfe fit tourner l'arme dans sa main avec nonchalance puis, d'un coup sec, l'enfonça jusqu'à la garde dans la main du nain. Des gouttelettes bleues vinrent tacher la tunique trop claire de la tortionnaire. La victime resta stoïque.

Dysri'anne élargit la plaie en arrachant la lame. Avec des gestes d'une lenteur insupportable, elle s'agenouilla et prit un doigt boudiné du prisonnier. Elle fit lentement glisser la lame sur ses phalanges jusqu'à arriver à la jonction avec sa paume. Puis, en fixant le nain dans les yeux, elle se mit à découper le doigt, centimètre après centimètre.

Alors qu'Er'gaven était anesthésié de la violence du champ de bataille – bruyante et confuse –, cette cruauté froide l'émoustillait autant qu'elle l'effrayait. Il aurait voulu tenir la dague lui-même. Dysri'anne leva sa dague, asséna un ultime coup sec et le craquement de l'os donna un frisson de plaisir au jeune homme. Un instant de lucidité le frappa : ce n'était pas normal de ressentir de telles émotions, mais il fut vite balayé. Les nains étaient des créatures dégénérées et les Follets devaient aimer les voir souffrir autant que lui.

La séance de torture se poursuivit, d'autres soldats – au cœur moins bien accroché – s'éloignèrent en reculant doucement, comme effrayés à l'idée d'être les prochains sur la liste des victimes de la capitaine. Certains vidèrent bruyamment leur estomac. Même Celeen semblait moins prompte à parader, n'osant jeter que des regards en coin à la scène horrifique.

Le nain avait perdu tous ses doigts, ses yeux et ses oreilles, mais il n'avait pas desserré les dents. De temps en temps, il pouffait avec mépris. La capitaine jouait de moins en moins bien son rôle, laissant transparaître le besoin viscéral qu'elle avait d'obtenir la réponse à son unique question.

Il fut bientôt évident qu'aucun mot ne sortirait de la bouche ensanglantée de l'ennemi. Un silence plus lourd de peur que d'excitation était tombé.

Dysri'anne était déçue, mais elle se reprit. Rajustant le bas de sa tunique autour de sa taille de guêpe, elle se redressa. Elle affichait un sourire faussement triste.

« Eh bien, je suis désolée, mentit-elle de sa voix suave. Puisque tu refuses de coopérer, je me vois dans l'obligation d'amorcer la phase finale. »

Le nain leva les sourcils, l'air de dire : « Et alors, n'était-ce pas prévu dès le départ ? » Il alla jusqu'à relever un peu plus la tête pour offrir son cou épais à la lame de l'elfe. Il allait mourir, mais il avait gagné.

Quand Dysri'anne s'approcha à nouveau de sa victime, le silence fut brisé. Les soldats qui étaient restés allaient enfin obtenir ce qu'ils voulaient. Des cris de hargne éclatèrent, demandant la mort de la vermine amie des Infernaux. La dague s'enfonça alors d'un coup unique dans la trachée du nain sous les acclamations. Er'gaven hurlait plus fort que tous ses voisins, ivre de haine et de justice. Tant que les Follets guideraient les elfes, pensa-t-il, aucun nain ne gagnerait vraiment.

La capitaine s'éloigna rapidement, laissant les soldats à leur euphorie. Er'gaven la suivit des yeux, admiratif de son pas altier et de son sang-froid. Elle s'arrêta devant le lieutenant Toydlick, qui se tenait à quelques mètres de là et malgré le brouhaha, le jeune homme capta l'essentiel de la conversation.

« Voyez lieutenant, c'est comme ça qu'on galvanise une foule. Prenez-en de la graine.

— Vous nous quittez déjà ? demanda Toydlick en ignorant la pique.

— Oui, une mage et un elfe ont été vus dans la zone sud au milieu d'une guilde de saurials et nous n'avons envoyé personne là-bas depuis plusieurs cycles de Sélénée. Ils vont sûrement traverser la mer d'Acide, mais je sais où les attendre pour leur poser les questions qui s'imposent. »

L'elfe cligna de l'œil et Er'gaven comprit que l'interrogatoire allait être aussi pacifique que celui que venait de subir le nain. Tant mieux, si des traîtres rejoignaient les nains, ce ne serait pas une bataille qu'ils risqueraient de perdre, mais la guerre.

Le cadavre du prisonnier fut laissé à pourrir entre la tente des lieutenants et des capitaines et celle de l'armurerie. Cela remonterait le moral des troupes avait estimé Dysri'anne. Elle avait raison. Les jours suivants, les troupes elfiques gagnèrent de précieux mètres sur le front, repoussant les nains derrière une colline, en position de faiblesse. Avaient-ils puisé leur bravoure dans le tas de chair sanguinolente ou dans la peur d'être le prochain sur la chaise ? Cela importait peu.

XII

Le moment de monter dans la barque pour rejoindre la galère était venu. Nathanaëlle avança l'équibot le plus près possible. Ses pattes de métal étaient dans l'eau jusqu'à l'articulation. Avec appréhension, elle passa sa jambe gauche du côté droit. La barque n'était qu'à quelques centimètres. Six saurials et le kappa les y attendaient déjà.

Avec une dernière grimace angoissée, la jeune femme se laissa glisser dans la frêle embarcation. Elle tangua légèrement, mais resta bien au sec. Elle tendit ensuite les bras pour saisir Arthaer sous les épaules. Il ne pesait presque rien, remarqua-t-elle. Était-ce normal ? Mangeait-il assez ? La jeune femme le savait capable de se priver pour les autres et se promit d'y prêter attention.

Les saurials qui barbotaient encore dans l'eau attachèrent le dernier automate aux autres. La longue ligne de montures métalliques était attachée à la barque, prête à rejoindre le long bateau. Il faudrait encore de nombreux allers-retours pour charger les marchandises de la guilde. Cela allait être long, devinait la mage, mais le port n'avait pas la profondeur pour permettre à la galère de s'approcher plus près de la plage.

Aidé par un saurial, le kappa rama avec aisance. Les quatre enfants prévoyaient déjà de s'installer dans la même cabine et d'en choisir une avec un hublot.

« Vous avez intérêt à être sages, leur dit Lancel, sinon vous serez repartis chacun avec trois adultes. »

Les petits lui lancèrent un regard de bébé tinger.

« Non, non, non. Je ne me laisserai pas attendrir ! »

Son sourire trahissait pourtant le conteur. Les filous savaient comment y faire avec ce célibataire au cœur de père.

Arthaer ne se mêla pas à la conversation. Les enfants ne l'avaient même pas mentionné. Il se doutait qu'ils présumaient qu'il dormirait avec Nathanaëlle. Après tout, il s'était toujours couché près d'elle dans les tentes. Pourtant il ressentit un petit pincement au cœur.

Une échelle de corde les attendait, pendue sur la coque en bois rougeâtre du bateau. De grandes barres métalliques incurvées renforçaient l'embarcation. Nathanaëlle se hissa le long de l'échelle puis sur le pont. Sur quinze mètres de long s'alignaient des bancs de rameurs. Sur une estrade à l'avant du bâtiment se trouvait le gouvernail. Des escaliers descendaient dans la cale à l'arrière.

La jeune femme se sentit bousculée par les enfants qui se précipitaient vers les cabines. Lancel s'arrêta à sa hauteur :

« Vous serez avec Nirvielle et moi. »

Nathanaëlle fronça les sourcils, inquiète, et porta la main à son cou. Il ne restait plus que des petites croûtes là où les crocs de la louve s'étaient enfoncés, mais la jeune femme n'était pas près d'oublier l'incident.

« Ne vous inquiétez pas. Les tensions vont s'apaiser. Tout le monde sera trop épuisé pour se plaindre ou se battre. Croyez-moi. »

Était-ce censé la rassurer ? Son ventre grossissait à vue d'œil et elle se sentait plus lourde chaque matin. Même monter à l'échelle l'avait essoufflée. Si elle ne tenait pas la cadence, Nirvielle n'essaierait-elle pas à nouveau de la tuer ?

« Tu viens ? » lui demanda Arthaer.

L'elfe avait pris sa main et la tirait vers les escaliers.

« Je te protégerai contre elle ne t'inquiète pas. »

Nathanaëlle n'eut pas le courage de lui dire qu'elle avait justement peur qu'il la protège et… qu'il fasse quelque chose qu'il regretterait. Elle le suivit avec un entrain surjoué.

La cale était séparée en deux parties. Au pied des escaliers, un couloir sombre s'ouvrait sur quatre portes de cabines. Tout le reste était presque vide. Des crochets étaient suspendus au bois de la coque pour attacher des équibots et dans le fond, une drôle d'installation attirait le regard.

Nathanaëlle pensait avoir déjà vu ce genre d'instruments en chimie. Cela lui semblait sortir d'une autre vie. Au-dessus d'un réchaud, un ballon de verre était surmonté d'une longue colonne. Un autre tuyau transparent la reliait à un autre contenant. Elle apprendrait plus tard qu'il s'agissait de montages de distillation pour rendre l'eau de la Mer d'acide potable.

Malgré les faibles rayons qui traversaient les hublots, Nathanaëlle devina la poignée ronde d'une trappe. De fait, la cale n'était pas tout à fait le fond du bateau – en pointe et donc inhabitable. Le passage permettait sûrement de faire des réparations au besoin.

Les cabines étaient minuscules. Deux lits superposés se faisaient face. Celle de Nathanaëlle et d'Arthaer n'avait pas de hublot et était donc plongée dans l'obscurité. Les bougies coûtaient cher, les prévint Lancel, mais ils n'en auraient de toute façon pas besoin.

Avant de rejoindre le pont pour aider à charger les marchandises, Nathanaëlle s'assit sur un lit un instant. Le matelas était fin et elle sentait les lattes de bois sous ses fesses. Elle eut un sursaut quand un coléoptère sortit de sous la couverture pliée. L'insecte – couvert d'une carapace noir brillant aux reflets bleus – eut un spasme lui aussi et tomba raide mort.

La jeune femme mit quelques instants à comprendre que c'était Arthaer, qui se tenait dans l'encadrement de la porte basse, qui venait d'aspirer sa vie. Un peu secouée, elle ne pensa même pas à remercier l'enfant.

Quand la cale fut remplie de vehnä, de bois et de nourriture fraîchement achetée au port, les bras de Nathanaëlle la lançaient. Ces dernières semaines, elle avait perdu une partie de ce que l'entraînement militaire de la communauté l'avait forcée à acquérir et l'enfant qu'elle portait puisait dans ses forces pour grandir.

Penchée au-dessus du bastingage, elle imaginait leur arrivée triomphale en Ankor. Er'gaven aurait sûrement vu ce voyage comme un pèlerinage que leur auraient imposé les Follets. Elle ne le voyait que comme la preuve, s'il en fallait encore une, que sa place n'était pas en Eowhull.

L'eau acide était claire. Au moins un endroit que la guerre n'avait pas détruit. Des poissons nageaient mollement autour du bateau. Leur corps translucide laissait deviner leurs organes, leur petit cœur battant au rythme de la Pulsation. Leurs nageoires disproportionnées flottaient autour d'eux sans vraiment les mener, semblait-il. Ils n'avaient l'air d'aller nulle part.

« Décris-moi ce que tu vois », lui demanda Arthaer en arrivant derrière elle.

L'elfe était plus pâle encore que d'habitude, presque verdâtre. Nathanaëlle le soupçonnait d'avoir le mal de mer. Elle lui décrivit les étranges poissons.

« Ce doit être des anges des mers, conclut-il. Il paraît qu'ils portent bonheur aux marins. »

Le kappa propriétaire du bateau passa derrière eux sans un mot. Il n'était pas bavard, avait remarqué Nathanaëlle, à part avec lui-même. Il avait marmonné dans sa barbe pendant tout le chargement sans que personne n'y fît attention. Ce devait être normal.

Un silence agréable s'installa sur le pont. Les autres étaient dans la cale, en train de s'installer. Les deux voyageurs n'avaient pas eu grand-chose à déballer. Ils étaient devenus le bagage l'un de l'autre.

La première journée de rame ne fut dépassée dans la fatigue que par les suivantes. L'air était plus frais au-dessus de la mer que dans le désert, mais l'effort les faisait suer au moins autant. Nathanaëlle et Arthaer avaient été assignés aux tours du matin et du début de la nuit. Leur sommeil, comme celui de tous les autres, était donc fractionné. Ils perdirent très vite la notion du temps.

Moins d'une semaine après avoir quitté le port, ils donnèrent raison à Lancel : ils étaient épuisés. Alors que le conteur ramait aussi vite que n'importe qui d'autre malgré sa main atrophiée, Nathanaëlle et Arthaer étaient à la traîne. Dès qu'ils le pouvaient, ils se laissaient tomber sur leurs lits sans même prendre le temps d'ôter leurs vêtements trempés.

Ni les craquements du bois de la coque ni les remous ne pouvaient les garder éveillés. Plus d'une fois, Arthaer vida son estomac sur ses draps et dut les frotter longuement sans vraiment réussir à faire disparaître l'odeur.

Nathanaëlle bataillait entre les douleurs qui serraient parfois son ventre et ses envies dévorantes qui la prenaient n'importe quand. Elle avait laissé tout le monde abasourdi quand elle avait fondu en larmes parce qu'elle ne pouvait pas avoir de poires. Même à elle ces désirs paraissaient futiles, mais elle n'y pouvait rien.

Ce n'était pourtant pas ce qui l'inquiétait le plus. Le bateau était infesté par les mêmes coléoptères aux reflets bleutés que celui qui l'avait surprise le premier jour. Ce n'était pas un problème en soi, mais elle avait remarqué qu'ils avaient une tendance suspecte à mourir soudainement, chaque fois lorsqu'ils étaient près d'Arthaer.

Pourtant le druide ne semblait pas en avoir peur et les saurials lui avaient confirmé qu'ils n'étaient pas dangereux. Parfois, la jeune femme se demandait si l'enfant se rendait compte de ce qu'il faisait. Son aura agissait-elle dans son inconscient ? Elle n'osait pas le lui demander.

Pour oublier la douleur des crampes qui paralysaient leurs bras, Arthaer racontait tout ce qu'il connaissait d'Eowhull et Nathanaëlle lui décrivait la Terre. L'elfe fut particulièrement intéressé par la neige – qui n'existait pas dans son monde où la température ne descendait jamais assez bas. Évidemment, il ne pouvait se figurer le blanc éblouissant de l'eau gelée, mais il fut très surpris d'apprendre que le froid pouvait brûler tout aussi bien que le feu.

En échange, il lui appris que les renforts du bateau étaient forgés en métal malléable, récolté sur des sortes d'escargots qui formaient leur coquille avec et vivaient dans les lacs d'aura des collines d'Ankor. L'enfant était capable de passer des heures à réciter des encyclopédies entières.

De temps en temps, il regardait le ciel avec inquiétude. Nathanaëlle savait qu'il pensait au dragon qui les avait survolés la veille de leur embarquement et même si elle faisait confiance à Ycesth, elle ne pouvait s'empêcher d'imiter le druide, à la recherche d'une ombre menaçante.

Entre anecdotes et sommeil, entre crampes et nausées, le temps passait. Et il passait tant et si bien que Nathanaëlle commençait à s'inquiéter. Elle pouvait maintenant voir le petit pied de son bébé frapper la peau tendue de son ventre zébrée de lignes rosées. Elle pouvait le sentir remuer, avec un peu plus de vigueur chaque fois.

Elle lui parlait d'ailleurs quand Arthaer s'enfermait à nouveau dans son mutisme, comme épuisé de parler. Elle lui disait combien elle l'aimait ou lui chantonnait des comptines de son enfance. Parfois, une parole lui manquait et la vexation était telle que des larmes coulaient sur ses joues.

Une question lui revenait plus souvent que tout autre : à combien de mois était-elle ? La seule femme enceinte dont elle se souvenait était sa tante et… sa mémoire était trop floue. Chaque jour, elle espérait que l'accouchement était encore loin. Chaque jour, elle sentait son enfant plus vif et plus prêt à rencontrer le monde.

***

Le kappa qui possédait le bateau n'avait quasiment pas parlé depuis leur départ. Il ne faisait que marmonner pour lui-même en récurant le pont, en resserrant les lourdes vis qui maintenaient les barres de métal de la coque ou en faisant fonctionner la distillerie d'eau. Arthaer ne connaissait même pas son nom et s'était résigné à ce qu'il ne réponde pas à ses salutations.

Cela ne l'empêchait pas d'être assez gêné quand la créature se faisait taquiner par les joueurs de dés de la guilde. Après leur tour de rame, assis dans la cale avec un gobelet de bière de vehnä, l'épuisement et l'alcool les rendaient moqueurs. L'elfe les avait déjà entendus interpeller leur hôte avec des surnoms comme *le trépané* ou *le cinglé*.

Pour autant, il n'osait pas intervenir. Il se souvenait que les joueurs étaient de ceux qui auraient voulu les voir partis lorsque l'eau avait manqué dans le désert. Et puis il n'était qu'un gamin. Il doutait qu'ils le jettent par-dessus bord, mais préférait éviter les tensions.

Après deux semaines passées à naviguer, il ne put se retenir plus longtemps. Ycesth était à la barre, comme d'habitude pendant les tours de l'elfe. Les deux mains sur le gouvernail, son regard oscillait entre l'eau, exceptionnellement calme, et Eos qui leur permettait de se repérer.

Elle eut soudain un mouvement de recul et agita brusquement sa main. Sans surprise, un coléoptère s'envola et alla se poser un peu plus loin, sûrement vexé d'avoir été dérangé. La scène n'avait rien d'exceptionnel, mais la fatigue devait aussi affecter la matriarche. Elle se retourna, les mains sur les hanches et appela le kappa à grands cris. Elle non plus ne semblait pas connaître son nom.

La créature émergea de la cale, aussi voûtée que d'habitude, un gros tournevis dans une main, une bouteille d'huile dans l'autre. Il ne posa aucune question et regarda simplement la sauriale.

« Qu'est-ce que tu fous à la fin ? Ça fait deux semaines qu'on ne peut pas faire un geste sans manquer d'écraser un de ces foutus insectes. Dois-je te rappeler que ton travail consiste à garder le bateau *propre* ? »

Le kappa ne broncha pas. Il s'excusa.

« J'ai détruit plusieurs nids déjà, mais je chercherai ceux qui restent.

— Il y a intérêt ! Cette embarcation t'appartient peut-être, mais si tu veux remplir son double fond de pierres précieuses, tu vas devoir être plus efficace ! »

Le druide observait la scène, hébété. Il s'était même arrêté de ramer et sentait ses bras se ramollir. Derrière lui, Nathanaëlle continuait. Elle psalmodiait des phrases rassurantes à son bébé. Personne ne réagissait.

Ycesth, qui était pourtant si patiente avec sa guilde, maltraitait ouvertement le kappa. Et lui ne se défendait même pas !

L'elfe faillit rester assis, se taire, reprendre sa rame et oublier. Mais pas cette fois. Il se leva et, au milieu de tous les rameurs qui semblaient enfin prêter attention à ce qui se passait, interpella la matriarche d'un ton accusateur :

« Vous êtes injuste avec lui ! Il fait tout ce qu'il peut, vous obéit au doigt et à l'œil et travaille trois tournées par jour au lieu de deux. Ce n'est pas de sa faute si les coléoptères pondent leurs œufs partout ! »

Ycesth le regarda longuement de ses yeux jaunes.

« Puisque tu veux que son traitement soit juste, tu subiras le même, dit-elle finalement. On verra quand tu auras fait trois tournées d'affilée si tu es toujours en quête de justice. »

Nathanaëlle voulut intervenir, mais la matriarche ne la laissa pas parler. Elle leur tourna le dos à nouveau et reprit le gouvernail en main. Il n'y avait plus de débat possible.

Finalement, la matriarche laissa Arthaer partir à la moitié de sa troisième tournée. Au bout de quinze heures de travail, il pouvait à peine bouger la lourde rame, encore moins la plonger dans l'eau et ramer efficacement.

La nuit était tombée depuis plusieurs heures, l'enfant n'avait plus faim. Les yeux cernés, il se traîna jusqu'à la cabine où Lancel et Nirvielle dormaient. La lycanthrope avait la gueule entrouverte, la langue pendante, et ronflait. L'elfe se hissa à l'échelle de bois pour se laisser tomber sur son matelas trop fin. Les lattes craquèrent, mais aucun des deux dormeurs ne se réveilla. L'enfant était épuisé. Pourtant, la frustration et les ronflements le tenaient éveillé.

Au plafond marchait un coléoptère. Encore un. Ses élytres noirs s'agitaient doucement, révélant ses ailes translucides. D'une pensée, le druide se connecta à son flux d'aura. Il tira alors sur la cordelette magique qui les reliait et laissa le transfert se faire sans effort. Quelques secondes, plus tard, la bestiole tombait à terre, secouée de ses derniers spasmes. Un autre coléoptère sortit de sous le lit de

Lancel. Peut-être voulait-elle faire son repas du corps de son camarade.

Arthaer sentait toujours le fil entre lui et le cadavre. Il n'avait jamais maintenu la connexion aussi longtemps. Alors qu'il s'imaginait son coléoptère se réveiller et prendre le cannibale par surprise, il sentit une tension dans le lien : une patte du mort venait de bouger. Intrigué, l'elfe essaya de ressentir à nouveau la scène, sans se laisser déconcentrer par les mouvements de l'insecte.

À l'aveugle, il ne pouvait pas en être sûr, mais il lui semblait… qu'il contrôlait l'insecte. Il avait presque l'impression d'être dans le corps sans vie. Il sentit une longue mandibule percer son abdomen. La douleur pourtant ne l'atteignit pas tout à fait, elle ne fut qu'un léger picotement au niveau de son estomac. Sans les voir, Arthaer essaya alors d'agiter les pattes de son insecte pour repousser son assaillant. Si les coléoptères avaient eu une aura plus forte, il aurait été plus simple de localiser l'insecte vivant, pensa-t-il. Tout de même, il lui semblait qu'il se débrouillait plutôt bien !

Il s'apprêtait à refermer ses mandibules sur son adversaire quand la porte s'ouvrit doucement. Dans l'encadrement se tenait la silhouette de plus en plus ronde de Nathanaëlle. Le regard de la jeune femme se posa sur lui d'abord, puis sur l'enchevêtrement noir de pattes et d'élytres qui se débattaient au sol, dans le mince filet de lumière qui coulait dans la cale. Des crissements aigus émanaient du combat. Arthaer rompit le lien et laissa le cannibale faire ce pour quoi il était sorti de sa cachette. Puis, il se tourna vers elle.

Nathanaëlle sut, comme un pressentiment, que le druide n'avait pas seulement observé le combat avec son sixième sens. Elle ne bougea pas, ne s'avança pas pour réveiller Lancel et Nirvielle dont la tournée venait de commencer.

« Qu'est-ce que tu faisais ? lui demanda-t-elle finalement à mi-voix.

— Je… Je ne sais pas. »

Arthaer avait senti l'hésitation dans la voix de la jeune femme. Peut-être avait-elle eu tort après tout, quand elle lui avait dit que son pouvoir n'était pas mauvais. En tout cas, elle semblait regretter ces mots…

« Tu as peur de moi ? »

***

Nathanaëlle osait enfin mettre le mot sur le pouvoir du druide : de la nécromancie. Elle l'avait évité jusque-là, mais… C'était trop évident maintenant. Elle aurait voulu lui dire que oui, cela l'effrayait un peu et qu'il fallait en discuter. Mais elle s'était promis de lui donner confiance en lui avant de quitter son monde. Pour cela, elle allait devoir lui mentir un peu. Juste à moitié. À vrai dire… Lui ne lui faisait pas peur. Seul son pouvoir était inquiétant. Elle lui en reparlerait plus tard, quand la question ne flotterait plus dans l'air moite de la cabine.

« Non. Je n'aurai jamais peur de toi, Arthaer. »

Un cycle de Sélénée passa, près de cinq semaines terriennes. Les tournées de Nathanaëlle avaient dû être écourtées alors que des contractions avaient commencé à tordre son ventre. Elle passait autant de temps qu'elle pouvait alitée, mais ne s'ennuyait jamais.

Elle ne se lassait pas de sentir les petits coups de son bébé contre son ventre, de le sentir réagir à sa voix. Elle n'avait jamais trouvé son corps aussi beau que maintenant, gonflé comme ballon de baudruche, à la limite de la déchirure. À la grande surprise de la jeune femme, Nirvielle lui avait conseillé d'appliquer de l'huile de baies des Terres sauvages, la guilde en gardait toujours un peu, et cela avait soulagé sa peau distendue.

La jeune femme massait son ventre avec la fameuse huile quand elle sentit les premières secousses. Le vent était plus fort depuis quelques jours, mais c'était la première fois que le bateau tanguait vraiment. La jeune femme ne s'en inquiéta pas.

***

Encore sur le pont, en train de ramer, Arthaer sentit lui aussi le ballottement. Lui qui supportait enfin son mal de mer sentit son estomac faire un bond et lâcha sa rame sous l'effet de la surprise. Heureusement, elle était attachée à l'embarcation par de lourdes chaînes. Les bras tendus par l'effort, il reprit le morceau de bois dans ses mains rendues calleuses par le travail.

Pourtant, à peine avait-il replongé la rame dans l'eau acide qu'une nouvelle vague heurta la galère, manquant de l'envoyer valser au milieu du pont. Le ciel s'était couvert de lourds nuages gris et le vent continuait de gonfler.

L'enfant se remettait maladroitement sur ses pieds quand le kappa sortit de la cale. Il se figea quelques secondes, renifla l'air lourd et humide, pencha la tête d'un côté et de l'autre, faisant tomber un peu de l'eau croupissant dans le creux au sommet de son crâne par terre, puis rendit son verdict : il fallait quitter le pont.

Ycesth tenta de le convaincre que ce n'était qu'un orage de passage, mais la créature secoua la tête et redescendit les escaliers. À regret, la matriarche ordonna aux cinq rameurs de rejoindre leur cabine.

Le kappa avait eu raison. Les bourrasques étaient maintenant plus nombreuses et plus fortes. L'embarcation balançait d'un côté puis de l'autre. Arthaer était un poids plume et devait se tenir à son matelas pour ne pas être envoyé contre la coque du bateau. S'il était resté sur le pont, il serait sûrement passé par-dessus bord.

Malgré la trappe qui fermait la cale, l'eau acide ayant inondé le pont coulait sur l'escalier en bois et s'insinuait sous la porte des cabines. Si les saurials ne craignaient pas cette eau, leurs compagnons dépourvus d'écailles étaient plus prudents et gardaient leurs pieds bien à l'abri sur leurs matelas encore secs.

Arthaer était en plein débat avec son propre estomac pour le convaincre de ne pas se vider maintenant quand le premier gémissement de Nathanaëlle résonna dans la cabine. Il pensa qu'elle devait avoir eu une de ces contractions, comme elle en avait parfois. Il fut détrompé par son cri aigu.

« L'aura ! Elle… Dans la poche du bébé ! »

Sans plus de considération pour la flaque d'acide au sol, Arthaer sauta de son lit. Ses chaussettes furent immédiatement trempées, mais il sentit à peine la plante de ses pieds le brûler. Un rapide examen lui confirma les craintes de la jeune femme : de la magie s'insinuait dans sa poche amniotique et peut-être même… dans le sang du fœtus.

XIII

Er'gaven était seul à l'écart des tentes du camp. Celeen n'aimait pas le voir tordre son corps et faire craquer ses os. Le jeune homme n'en raffolait pas non plus, mais c'était son devoir. Malheureusement, il n'avait pas le talent d'Ysis et même après plusieurs semaines d'entraînement, il arrivait tout juste à recouvrir son corps d'écailles. Pourtant, il sentait qu'il n'était pas très loin du déclic.

Bien sûr, une fiole d'aura pure lui aurait sûrement donné l'impulsion nécessaire pour déformer ses membres et se faire pousser des ailes, mais le liquide était précieux. Les elfes ne savaient pas en produire et leurs réserves venaient du pillage de cadavres de nains. Il était hors de question de gâcher cet or liquide.

Alors, Er'gaven se battait contre son enveloppe corporelle, seul. Parfois, il luttait si longtemps qu'il lui semblait qu'il ne lui restait plus une goutte de magie dans le sang. L'absence de douleur était exquise, mais il était toujours frustré de ne pas arriver au bout de la transformation.

Ce jour-là, le vent était fort et soulevait des nuages de poussière qui s'infiltraient jusque dans les tentes. Les poings serrés, le sang bouillonnant, le jeune homme essayait de contenir une quinte de toux qui ne manquerait pas de le déconcentrer.

Il ne restait plus un centimètre carré de peau nue. Il sentait ses os fondre, s'allonger, se remodeler. La peau de ses omoplates était distendue par les excroissances qui lui poussaient. La douleur était atroce. Peut-être était-il moins bon qu'Ysis parce qu'elle supportait mieux la douleur que lui ? Cette question n'avait plus d'importance.

Puisqu'il avait causé sa mort, il devait prendre sa place au service des Follets.

Alors que l'aura commençait à se calmer dans son sang, Er'gaven envoya une nouvelle impulsion. L'ébullition dans ses veines reprit de plus belle. La torture était telle que le jeune soldat avait le cœur au bord des lèvres. Une migraine s'ajouta à sa souffrance et du sang perla sous son nez. Ses yeux en étaient injectés.

C'est à cet instant que la corne sonna.

Er'gaven relâcha un instant sa concentration et tout se fissura. Il laissa échapper une toux rauque et cracha un filet de bile jaune. Il reprenait forme humaine sans réussir à reprendre sa respiration. Sa cage thoracique se resserrait plus vite que ses poumons ne reprenaient leur taille.

Enfin, ils se dégonflèrent et le jeune homme put inspirer normalement. Les yeux remplis de larmes, il regarda les écailles se rétracter sur la paume de ses mains. Il tremblait. Pendant de longues minutes, il pensa qu'il serait incapable de se relever. Il se sentait envahi par une soudaine somnolence et l'idée de se rouler en boule dans les cendres lui passa par l'esprit.

La voix énervée de Toydlik l'en dissuada. Il était déjà bien en retard. Après une dernière inspiration, il se leva. Les jambes chancelantes, il se dirigea vers l'enclos des istriefs, mais Celeen, déjà à sa place le héla. À ses côtés l'attendait une monture libre. L'elfette l'énervait parfois, mais il ne put s'empêcher de sourire. Avec une force retrouvée, il se faufila dans les rangs et prit sa place à droite de son amie.

XIV

La galère fit une embardée qui plaqua Arthaer contre la porte de la cabine. Lancel l'aida à se remettre sur pieds. L'inquiétude de la tempête s'était transformée en panique et personne ne savait quoi faire.

Nathanaëlle tentait de concentrer l'aura dans ses mains pour l'éloigner de son ventre, mais tant qu'elle ne pourrait pas évacuer la magie, elle continuerait de lui échapper. Et il était hors de question d'allumer le moindre feu dans le bateau.

La jeune femme ne pouvait pas croire qu'après tout le chemin parcouru, il suffise que sa magie se réveille pour tout détruire. Cela ne pouvait pas être vrai, c'était trop injuste. Mais les Follets n'existaient pas, pensa-t-elle, et il n'y avait personne pour décider de ce qui était juste ou non. Cela se produisait, c'est tout.

Arthaer eut soudain une idée et quand il croisa le regard de Nathanaëlle, il sut qu'elle venait d'y penser aussi.

« Je pourrai peut-être essayer quelque chose, mais…

— Vas-y », lui ordonna la future mère.

Elle avait le visage crispé, la respiration haletante. Elle ne retiendrait pas éternellement l'aura en dehors de la poche sacrée où flottait son bébé.

Alors que Lancel le saisissait sous les épaules pour lui éviter de tomber une nouvelle fois, le druide prit les mains de la jeune femme. Il se sentit immédiatement submergé par l'aura qui fuyait le corps de la mage. Ce fut comme une décharge électrique, mais il n'eut pas mal, bien au contraire. S'il avait déjà – comme Er'gaven – bu de l'aura pure, il aurait déjà ressenti cette ivresse. Mais c'était une première pour lui et il en oublia presque ce qu'il faisait.

***

Nathanaëlle voyait les yeux blancs de l'elfe s'agiter. Elle sentait sa magie la quitter et laisser, derrière elle une sensation de bien-être qu'elle n'avait jamais connu. Enfin... si. Sur Terre. Elle était en train de redécouvrir la sensation de ne pas souffrir continuellement. La Pulsation battait, mais l'elfe aspirait l'aura bien plus vite qu'elle n'entrait dans l'organisme de la jeune femme.

Une nouvelle bourrasque secoua l'embarcation et le niveau de l'eau monta dans la cabine. L'enfant avait maintenant les pieds submergés jusqu'aux chevilles, mais ne semblait pas s'en rendre compte. Nathanaëlle savait qu'elle aurait dû lui demander d'arrêter, lui dire de se mettre en sécurité sur le lit en hauteur. Mais elle ne pouvait pas s'y résoudre. Pas si cela signifiait condamner son bébé. À la place, Lancel s'agenouilla pour le soulever.

Nirvielle était restée dans son lit et observait la situation avec de grands yeux ronds. Elle avait ses griffes plantées dans son matelas et n'en menait pas large.

Les minutes passaient et rien ne s'arrangeait. Arthaer était toujours en transe et le bateau faisait des embardées de plus en plus violentes. Une rafale faillit même le renverser et tout le monde dû se raccrocher aux lits des cabines pour ne pas heurter le bois. La coque craquait, mais rien n'aurait pu la faire plier : les renforts de métal étaient bien trop solides.

Après ce qui parut être une éternité, le vent tomba, aussi vite qu'il s'était levé. Pourtant, tous les problèmes n'étaient pas réglés. Arthaer, les yeux révulsés, pendait dans les bras de Lancel. Il ne pourrait pas rester ainsi jusqu'à ce qu'ils arrivent au portail et que Nathanaëlle le traverse. Si elle avait été soulagée quand il avait aspiré sa magie, elle redoutait maintenant l'instant où la douleur reviendrait. Inévitablement.

Sa crainte fut confirmée quelques instants plus tard. Tous les muscles du druide se relâchèrent et il perdit conscience. Ses lèvres bleutées étaient entrouvertes, ses yeux clos et seule sa respiration permettait de dire qu'il était bien vivant.

Nathanaëlle aurait voulu hurler et le secouer, mais il était à bout de force. Il n'avait pas eu besoin qu'elle le lui demande pour se donner corps et âme pour sauver son enfant. Et il ne pouvait rien faire de plus…

En tremblant de terreur, la jeune femme sentit la magie se diluer à nouveau dans son sang. Elle la garda dans ses mains aussi longtemps qu'elle put, mais bientôt elle fut de nouveau hors de contrôle. Un gémissement de désespoir lui échappa. Lancel et Nirvielle la regardaient avec tristesse, impuissants.

Nathanaëlle eut soudain un espoir, infime. Elle s'y accrocha de toutes ses forces. Il lui semblait que l'aura… évitait la poche. Elle l'entourait, mais n'y pénétrait pas, comme avant la tempête. La future mère osait à peine respirer, paralysée à l'idée de faire le moindre mouvement brusque, de peur que la magie ne change d'avis et tente à nouveau d'assassiner son enfant.

Quand, après de longues minutes, elle sentit les petits coups de poing de son bébé, elle finit par se détendre un peu. Enfin convaincue d'être hors de danger, tout son esprit se reporta sur le corps inanimé d'Arthaer. Lancel l'avait hissé sur son matelas et lui avait ôté ses chaussettes pour sécher ses pieds brûlés par l'aura. La peau si pâle était devenue rouge et s'était couverte de petites cloques.

« Il faudra lui mettre de l'huile, déclara le conteur. Dès que nous aurons le droit de sortir, j'irai en chercher d'autres. »

Nathanaëlle se rendit alors compte qu'elle avait une dette immense envers l'enfant et qu'elle ne pourrait sûrement jamais la payer… Encore un regret à ajouter à la liste de ceux qui hantaient ses cauchemars.

Le jour, elle pouvait toujours les repousser dans un coin sombre de son esprit, mais la nuit, rien ne pouvait les garder enfermés. Elle rêvait souvent d'Er'gaven tué par les wendigo'wak après avoir voulu la venger ou sur le front à faire ce qui lui semblait juste. Elle aurait aimé le convaincre. Peut-être que… Si elle était restée un peu plus longtemps…

La jeune femme brisa d'un coup le cercle de pensées stériles. Ces remords ne rendraient pas ceux qu'elle blessait plus heureux. Sûrement était-elle égoïste, centrée sur sa seule vie, mais une mère pouvait-elle être égoïste quand elle protégeait son enfant ?

Une heure se passa sans que personne n'ose sortir des cabines. La tempête avait détruit le sentiment de sécurité qu'ils avaient tous laissé grandir en eux. Enfin, le kappa sortit le premier et vint ouvrir les portes des cabines. D'un geste, il leur fit signe qu'ils pouvaient sortir.

Avant de monter prendre sa place de rameur, Lancel tint sa promesse et enduit les petits pieds d'Arthaer avec sa main valide. Pendant qu'il massait avec douceur la plante irritée, l'elfe marmonna des mots incompréhensibles. Il reprit sa respiration et demanda :

« Le… le bébé ?

— Il va bien ! le rassura Nathanaëlle.

— Youpi ! »

Les bras en l'air et un grand sourire aux lèvres, l'enfant semblait soudain avoir retrouvé toutes ses forces.

Soudain, la voix d'Ycesth retentit dans la cave.

« Tous ceux qui devraient être de tournée sont priés de rejoindre le pont ! »

Lancel abandonna à regret la cabine et assura à Nirvielle qu'il expliquerait à Mezfang, alors responsable de la manœuvre de la galère, qu'elle arriverait aussi vite que possible.

En effet, la cale était toujours inondée et les coussinets de la lycanthrope étaient aussi sensibles à l'acide que la peau des elfes et des humains. Heureusement, le kappa arriva bien vite et se mit à éponger le sol. Il n'eut pas un regard ou un mot pour les occupants de la cabine.

Quand le sol fut sec, Nathanaëlle se leva et, le dos arqué à cause de son ventre lourd, alla chercher des linges propres. Arthaer avait voulu y aller à sa place, mais elle avait refusé qu'il marche pieds nus.

La jeune femme n'avait pas des gestes très habiles, mais elle enroula les pieds de l'elfe dans un bandage improvisé.

« Je ne pourrai jamais te remercier assez, lui dit-elle en enroulant les bandes de tissus.

— C'est ce qu'on fait pour sa famille. »

Le reste du voyage se passa sans encombre.

Lorsque Sélénée fut pleine, Nirvielle s'enferma seule dans une cabine. Le bruit de ses griffes sur le bois et de ses grognements bestiaux donnèrent des frissons au reste de l'équipage, mais, dès le lendemain, elle était redevenue elle-même. Cela arriva deux fois.

L'astre de la nuit était gibbeux quand une fine ligne noire apparut à l'horizon : la terre.

Le port de Gastred ressemblait beaucoup celui de Zwoult dont ils étaient partis. Les maisons étaient un peu plus grandes, mais toujours sur pilotis. Elles s'alignaient autour de ruelles étroites. Le fond de la plage n'était pas plus profond et il fallut débarquer la marchandise avec une barque. Au moment de quitter le kappa, Ycesth sortit trois petites pierres translucides de couleur vive et les lui donna. À ce rythme, la créature n'était pas près de remplir le double fond de sa cale, pensa Nathanaëlle.

Les problèmes financiers du kappa disparurent cependant bien vite de son esprit. À peine s'étaient-ils engagés dans les rues bruyantes de Gastred qu'une troupe elfique armée leur barra le passage. Nathanaëlle rabattit un peu plus la capuche de sa cape sur son visage et Arthaer se fit tout petit derrière elle, mais la capitaine qui menait l'expédition ne semblait pas être ici par hasard.

***

« Bien, bien, bien. Je me présente, je suis la Capitaine Dysri'anne. Pourrais-je avoir l'honneur de parler à la matriarche de cette guilde ? »

Malgré les embruns qui piquetaient son visage de minuscules brûlures, l'elfe semblait parfaitement à son aise. La brise marine glissait sur son chignon impeccable et elle toisait leur petit groupe d'un regard altier. Son insigne militaire brillait sur son sein gauche. Ycesth s'avança, la main posée sur la garde de son sabre d'un geste faussement nonchalant.

« Bien le bonjour, madame la Capitaine, que nous vaut le plaisir de votre présence si loin au sud de *notre* désert ?

— Rien qui vous menace, rassurez-vous. Nous voulons simplement récupérer deux soldats qui se malencontreusement perdus. Nous vous remercions d'en avoir pris soin jusque-là. »

Arthaer sentit un frisson glacé descendre dans son dos. Ycesth maintint son regard dans celui de l'elfe pendant quelques secondes puis trancha :

« Vous serez ravie d'apprendre qu'ils ne sont pas perdus et sont en fait venus chercher notre protection, que nous leur avons accordée, ce qui est notre droit dans la zone de neutralité, n'est-ce pas ?

— Écoutez… Je vais être plus claire. J'ai besoin de ces deux fugitifs. Donnez-les-nous et vous serez récompensés. C'est aussi simple que cela.

— L'offre des nains est plus intéressante, désolée. »

***

Arthaer tiqua. L'offre des nains ? Elle ne leur en avait pas parlé. Peut-être était-ce du bluff. Après tout, l'ensemble de la conversation était teintée de mensonges et de menaces à peine cachées. Ce qui comptait était que la guilde n'allait pas les livrer à la capitaine.

Pourtant, l'espoir de l'elfe fut réduit à néant quand Dysri'anne claqua des doigts. Ce simple signal venait de signer leur arrêt de mort. En effet, derrière les soldats elfiques armés de longues lances, une ombre grandit jusqu'à bloquer entièrement la rue étroite : un dragon.

Face à une telle apparition, Arthaer se sentit minuscule. Derrière lui, il sentit Lancel s'éloigner avec les enfants. Devant, deux flammes apparurent dans les mains de Nathanaëlle. La jeune mage avait dû anticiper le combat qui s'imposait maintenant à eux, mais comment comptait-elle vaincre un dragon ?

Le silence était tombé sur le port. Les kappas et les autres guildes de saurials s'étaient sagement écartés et réfugiés dans les cahutes sur pilotis. Restait pour eux à espérer qu'elles soient épargnées par les pyromages.

La première boule de feu fila vers la capitaine avant qu'Arthaer n'ait pu poser la moindre question. D'un seul mouvement, l'officier esquiva l'attaque en se glissant derrière un lancier, qui fut frappé de plein fouet. Ses vêtements prirent feu et c'est ainsi que la charge fut sonnée. Leurs sabres brandis, les saurials se lancèrent à l'assaut des elfes. Leurs adversaires étaient plus expérimentés qu'eux, et Arthaer ne savait pas s'ils étaient tous d'accord pour risquer leur vie pour Nathanaëlle et lui, mais il ne perçut aucune hésitation de leur part.

Les premiers lanciers, paniqués par les flammes, n'opposèrent que peu de résistance, mais la première ligne fut bientôt remplacée par six soldats qui se battirent au coude à coude pour empêcher la guilde d'atteindre les blessés.

Derrière ce champ de bataille improvisé, le dragon se retrouvait démuni. Ses ailes étaient bloquées par les cabanes de bois qui longeaient la rue et il ne pouvait pas cracher de feu, au risque d'enflammer un allié.

« Arthaer ! »

Le jeune druide se tourna vers la pyromage. Il sentait d'ici son aura bouillonner dans ses veines, prête à sortir dès qu'elle lui en donnerait l'ordre.

« Je m'occupe de la capitaine, je te laisse le dragon !

— Mais je… ne sais pas comment faire. »

Les yeux agrandis de terreur, l'enfant sentit son amie s'éloigner de lui et entendit le bruissement de la double lame de sa hache puis un craquement. Il l'imagina sans peine fendre le crâne du premier elfe qui aurait l'audace d'effleurer son ventre distendu. Il leva ensuite la tête vers le monstre qui guettait le moindre fugitif.

L'aura du dragon était agitée de grands mouvements chaotiques. Des filaments de magie s'échappaient de son corps puis étaient recapturés dans le flux tourbillonnant qui prenait sa source dans le cœur du mage. Nathanaëlle comptait sur lui, personne ne comptait jamais sur lui. Mais il avait bien réussi à la sauver deux fois, pourquoi pas trois ?

Rassemblant tout son courage, Arthaer projeta sa magie vers la tempête d'aura. Son filament traversa l'air à toute vitesse, heurta le tourbillon… et lui revint en pleine figure. Déstabilisé, le druide recula de deux pas pour ne pas tomber. Il allait devoir être plus précis.

Les pieds bien ancrés au sol, l'elfe se concentra pour s'isoler de la bataille. Il ne voyait pas, il ne devait pas entendre non plus pour que toute son attention soit tournée vers son sixième sens. Il avait l'habitude d'écouter la magie plus que les sons et en quelques secondes, il fut seul au milieu des flux d'aura. Son cœur battait avec la Pulsation et le chemin qu'il devait suivre devint évident.

D'une impulsion mentale, l'enfant forma un nouveau filament, plus fin. Cette fois-ci, il ne l'envoya pas à toute vitesse, mais calcula précisément sa trajectoire. Alors qu'il n'était plus qu'à quelques centimètres, un sursaut agita le tourbillon du dragon, mais l'elfe ne se laissa pas surprendre et fit dévier son aura au dernier moment. Enfin, sa magie se fondit à celle du pyromage et il sentit le lien se former entre eux. L'humain le sentait-il ? Impossible de savoir, et Arthaer ne devait pas s'en occuper. Maintenant qu'il s'était ancré dans la tempête, il devait l'aspirer.

La sensation du corps d'Ast se désagrégeant sous ses doigts et la voix effrayée de Nathanaëlle lui demandant ce qu'il faisait avec les coléoptères s'imposèrent soudainement à lui et il sentit la magie lui glisser entre les doigts. Le cri d'un saurial blessé brisa sa bulle de silence et il lutta pour faire disparaître sa peur. Il n'allait pas tuer. Le dragon était un humain, il n'avait pas besoin de son aura. Il n'allait pas le tuer. À force de se répéter la phrase comme un mantra, il reprit pied et le contrôle de son pouvoir qu'il tira à lui.

Dès qu'il donna l'ordre mental, une vague de magie déferla en lui et un sentiment de puissance l'envahit. L'appréhension disparut, laissant place à une félicité nouvelle. Peu habitué, l'enfant se laissa envahir et en oublia presque le combat qui se menait dans la rue.

Le tourbillon du dragon n'était maintenant plus qu'une sphère de magie de plus en plus calme. Au contraire, le sang d'Arthaer était gorgé de magie. Trop, en réalité, et l'elfe se rendit compte qu'il ne pouvait pas simplement la libérer d'un seul coup, au risque de créer une rafale qui coucherait tous ceux, amis ou ennemis, qui se trouveraient sur son chemin.

Abandonnant son sentiment d'euphorie, le druide s'ancra à nouveau dans le monde réel et se connecta à nouveau à la Pulsation. C'était vers elle qu'il devait décharger son trop-plein d'énergie. Il guida alors lentement l'aura vers ses pieds et sentit l'air à ses pieds chauffer, s'agiter et se glisser sous sa tunique, qui se gonfla autour de son corps frêle. Libéré, il étendit les bras et se sentit presque flotter.

***

Nathanaëlle enflamma sa hache en se frayant un chemin dans la cohue. Elle ne voulait pas se battre en mêlée, ce serait trop risqué pour son bébé, mais si elle réussissait à mettre la capitaine hors-jeu, les lanciers abandonneraient sûrement le combat.

Pour l'instant, ils étaient bien décidés à obéir aux ordres de leur supérieure. Une lance dessina une estafilade sur la joue de la jeune femme et quand elle se retourna pour se défendre, les crocs de Nirvielle déchiraient la gorge du coupable. La mage déglutit en pensant aux minuscules cicatrices qui piquetaient son cou, elle n'était vraiment pas passée loin ce jour-là.

En quelques enjambées de plus, Nathanaëlle réussit à s'extraire du combat. Dans la rue désertée, le dragon trépignait, l'air indécis. La jeune femme repéra la capitaine en un coup d'œil : l'elfe escaladait la patte arrière pliée de la créature pour se mettre à l'abri. Erreur stratégique. Elle lui tournait le dos et Nathanaëlle pourrait l'abattre d'une boule de feu bien placée.

Pourtant, un étrange sentiment la retenait de relâcher l'aura qui brûlait au creux de sa main. Ce n'était pas de l'honneur ou de la culpabilité, mais… La peur de décevoir Arthaer, s'en rendit-elle compte. Le druide n'aurait pas attaqué quelqu'un dans le dos. En fait, il n'aurait fait de mal à quiconque qu'en légitime défense. Commençait-il donc à déteindre sur elle ?

Un coup de patte du dragon qui faillit la faucher sortit la mage de ses considérations morales. Elle fit un pas de côté pour échapper aux griffes acérées et laissa sa boule de feu filer vers l'elfe. Le dragon l'éjecta de sa patte pour la protéger, mais le feu dévora le bras de la capitaine et elle chuta dans les cendres humides du port dont l'acidité la brûlèrent encore un peu plus. Pourtant, elle n'était pas prête à abandonner et le temps que Nathanaëlle arrive à sa hauteur, son ventre ballottant au rythme de son trot, Dysri'anne était à nouveau sur ses deux pieds.

Une dague dans chaque main malgré les cloques qui se formaient sur sa peau pâle, elle regardait la mage avec hargne.

« Que crois-tu faire au milieu de ces marchands ? cracha-t-elle avec mépris. Ta place n'est pas ici.

— Je rentre chez moi. Effectivement, ma place n'est pas ici. »

Avant même de finir sa phrase, Nathanaëlle asséna un violent coup de hache… Qui fendit l'air là où se trouvait l'elfe une demi-seconde auparavant.

« Les nains n'ont rien à faire des humains. Ils les abattent sur le champ de bataille. Crois-tu vraiment qu'ils ont un portail ? Ces serviteurs des Infernaux ? »

Tout en parlant, la capitaine s'était mise à tourner autour d'elle.

« Vous n'avez rien à faire de nous non plus. Vous nous élevez le plus loin de vous possible avant de nous envoyer à la guerre !

— Nous sommes vos sauveurs ! Vous nous *devez* ce soutien militaire.

— Non. »

Nathanaëlle frappa à nouveau, mais sa lame rencontra celles de la capitaine, elles se croisèrent devant son visage altier. Les deux pieds ancrés dans les cendres, elle n'avait même pas l'air surprise. La mage avait mis toute sa force dans ce coup et elle le sentit remonter jusqu'à ses épaules. Er'gaven avait raison, elle n'était toujours pas prête. Elle lâcha alors son arme et fit apparaître deux nouvelles flammes dans ses mains. Oui, elle préférait nettement cette méthode, même si elle devait pour cela souffrir dans chacun de ses vaisseaux sanguins attaqués par l'aura bouillonnante.

« Je ne veux pas te faire du mal, lui assura l'elfe. Il serait dommage que tu meures maintenant alors qu'un destin d'héroïne t'attend au nord de ce désert. »

La jeune femme dirigea alors son pouvoir vers les dagues de la capitaine. Pourtant, à peine le feu avait-il commencé à lécher le métal qu'il fut soufflé par un coup de vent qui semblait venir des manches de l'elfe.

« Si prévisibles. Heureusement que votre forme draconique existe, ou nous ne saurions pas quoi faire de… »

La capitaine Dysri'anne suspendit sa phrase alors que, justement, le dragon derrière elle rapetissait et perdait ses écailles. C'est cet instant d'inattention qui allait lui coûter la victoire. Cette fois-ci, Nathanaëlle n'hésita pas et projeta son adversaire au sol avant d'apposer sa main enflammée sur sa poitrine. Un cri déchira l'air alors que la pyromage, essoufflée, pesait de tout son poids de femme enceinte sur les jambes de la combattante. Bientôt, la tunique de la capitaine fut réduite en poussière et le feu s'étendit à ses cheveux. Une odeur de karyk'as grillé envahit la rue.

Pendant ce temps, le dragon avait terminé sa métamorphose et se tenait, nu, assis dans les cendres, à regarder son corps avec ahurissement. Un nouveau cri retentit alors, plus faible et enfantin :

« Le dragon n'a plus de pouvoir ! Rendez-vous ! » ordonna Arthaer, de sa voix la plus forte.

Les soldats eurent un instant d'hésitation, mais n'obéirent pas au druide. Nathanaëlle pouvait voir du coin de l'œil que de plus en plus de saurials étaient blessés. L'un d'eux était à terre. Elle chauffa encore un peu plus sa main et augmenta la pression qu'elle exerçait sur son adversaire. Sa peau commença à brûler elle aussi, mais un craquement d'os – une côte – lui confirma que cela fonctionnait.

« Écoutez-le ! » hurla alors la capitaine.

Ses yeux étaient noyés de larmes et sa voix distordue de douleur. Non, Arthaer n'aurait vraiment pas aimé faire ça, pensa Nathanaëlle.

Mais elle avait réussi. Les soldats se tournèrent tous vers leur supérieure et, après s'être lancé quelques regards les uns aux autres, laissèrent leurs armes tomber à leurs pieds et présentèrent leur signe de paix : leurs deux mains formant le cercle des Follets tendues comme une croix.

Ycesth en profita alors pour reprendre le contrôle de la situation. Avec son calme habituel, elle ordonna à tous les saurials qui n'étaient pas blessés de se diviser en deux équipes : ceux qui soigneraient les leurs et les autres qui devraient trouver de quoi immobiliser les vaincus. Comme tout ce qui était effectué par la guilde, cela se fit rapidement et dans une harmonie toujours surprenante.

Malgré les lances à terre et les deux dagues que la capitaine avait jetées hors de sa portée en signe de bonne foi, Nathanaëlle attendit quelques minutes avant de se relever, ne serait-ce que pour reprendre son souffle.

« Je retournerai chez moi, que vous le vouliez ou non », affirma-t-elle calmement avant de laisser l'elfe aux mains d'une sauriale.

La jeune femme passa devant le mage. Il n'était toujours pas revenu de sa surprise et ignorait parfaitement le reste de sa troupe. Il ne cessait de répéter :

« J'ai plus de magie, les gars ! J'ai plus de magie ! »

Nathanaëlle le laissa à sa panique et évalua la scène du regard. Malgré les nombreux blessés – certains étaient même mutilés – il n'y avait pas de mort du côté des reptiliens et un seul chez les elfes. Tant mieux. Arthaer se sentirait mieux s'il n'avait pas l'impression d'avoir participé à un massacre.

Le druide s'avança d'ailleurs vers elle. Heureusement qu'il ne pouvait pas voir dans quel état elle avait mis la capitaine, pensa Nathanaëlle. Les reproches auraient sûrement été interminables. Mais loin d'imaginer le corps meurtri de l'elfe, Arthaer rayonnait :

« J'ai réussi ! clama-t-il joyeusement.

— Oui ! Félicitations ! »

Et, à la grande surprise de Nathanaëlle, Arthaer vint l'entourer de ses bras frêles. Des larmes de joie coulaient sur ses joues et il les essuya dans la tunique de la jeune femme. Malgré l'étonnement, celle-ci lui rendit son étreinte. Soudain, son bébé donna un coup de pied un peu plus violent que d'habitude. Arthaer, qui l'avait senti contre sa joue, s'en amusa :

« Dis donc, il est agité lui aussi aujourd'hui !

— Il doit se demander ce que fait son irresponsable de mère. »

Ils éclatèrent alors de rire, relâchant toute la tension du combat.

Quand ils se calmèrent, Arthaer se tourna vers les saurials qui finissaient de bander leurs blessures. Lancel était ressorti pour venir prêter main-forte aux autres. Il serrait de toutes ses forces un garrot autour du poignet d'un des joueurs de dés les plus chanceux. Le blessé venait de perdre sa main, mais gardait le sourire : son membre repousserait – plus chétif certes, mais fonctionnel. À quelques pas de là étaient assis les prisonniers, surveillés de près malgré les nœuds marins qui leur entravaient les mains. Arthaer ne les voyait pas, mais il pouvait sentir leur peur et leur colère.

« Que va-t-on faire d'eux ?

— Les vendre à une autre guilde qui les ramènera chez eux contre rançon, lui répondit Ycesth en s'approchant du duo.

— Vous allez les laisser retourner vaquer à leurs occupations alors qu'ils viennent de vous attaquer ? s'étonna Nathanaëlle.

— Ils payeront leur offense en heures de rame, ne t'inquiète pas. Et puis, quand ils arriveront, vous serez déjà en Ankor et nous n'aurons plus rien à craindre.

— Et le mage, quand l'aura se sera à nouveau accumulée dans ses veines, il pourra à nouveau se métamorphoser !

— Oulah ! Ce ne sera plus mon problème à ce moment-là. Moi, je vends la marchandise, eux s'occupent du transport. La récompense à la clef devrait les motiver à trouver une solution. Allons, nous devons nous remettre en route rapidement. J'aimerais éviter de nouvelles rencontres comme celles-ci. »

Nathanaëlle et Arthaer hochèrent la tête de concert et se dirigèrent vers l'équibot le plus proche pour remettre son aura pure à niveau et se préparer à partir.

XV

Toute la guilde fut soulagée de voyager à nouveau à dos d'équibot. La chaleur étouffante du désert les assaillait déjà, mais le poids des rames ne leur manquait pas. Si tout se passait comme prévu, ils arriveraient aux portes d'Ankor dans moins d'une semaine.

Ce temps, si court par rapport au reste du voyage, sembla durer une éternité. Les jours se ressemblaient tous. Même Arthaer s'ennuyait. Sa curiosité était épuisée : il connaissait tous les contes de Lancel par cœur et parlait aussi bien la langue naine que les enfants de la guilde.

Il n'avait plus grand-chose à apprendre de la Terre non plus. Nathanaëlle n'avait que les connaissances d'une adolescente de seize ans… Elle ne savait même pas ce qu'elle ferait une fois de retour chez elle. Être mère était une chose, mais elle devrait gagner sa vie pour nourrir son enfant. Ses parents l'aideraient à se réintégrer, elle le savait. Même si elle était partie plus de quatre ans, même si la magie coulait dans ses veines. Elle les connaissait.

Arthaer aurait été passionné d'apprendre à quoi ressemblait la vie dans les Terres sauvages, mais il n'osait pas demander à Nirvielle. Parfois, son aura crépitait autour d'elle comme un champ électrique prêt à foudroyer le premier qui lui adresserait la parole.

Pour Nathanaëlle, ce n'était pas tant l'ennui que l'angoisse qui ralentissait le temps. Il lui semblait avoir triplé de volume. Elle avait souvent le souffle court et était lasse de s'arrêter toutes les heures pour vider sa vessie. Si elle n'avait pas été dans un monde fatal pour son nourrisson, elle aurait sûrement espéré accoucher bientôt. Mais son petit bout allait devoir attendre un peu avant de sortir !

Le cinquième matin suivant l'arrivée au port se levait. Le ciel se colorait de rose. Eos n'écrasait pas encore le monde de sa chaleur impitoyable. Les rouages des équibots tournaient avec leur régularité habituelle. Pourtant, tout n'était pas exactement comme d'habitude.

La monotonie du désert était telle que la moindre anomalie se voyait comme le nez au milieu de la figure. Ce jour-là, c'était une fine ligne qui séparait les dunes de cendres du ciel trop bleu. La muraille d'Ankor.

L'ouvrage monumental entourait l'intégralité du royaume. C'était l'œuvre de milliers de nains qui avaient travaillé pendant plusieurs décennies. Alors même qu'une famine frappait les nains comme les elfes, les premiers se tuaient à la tâche pour se protéger, les seconds cultivaient la vehnä.

À mesure que la guilde avançait, les murailles dévoilaient leur hauteur et leurs longues fresques. Des scènes de combat gravées dans les lourdes pierres blanches montraient des nains levant leur hache vers le ciel et affrontant des elfes difformes. Des grimaces de rage ou de peur tordaient le visage des sylvains, leurs longs doigts étaient crochus. Nathanaëlle sentit Arthaer se tendre derrière elle.

Les cendres du désert ne couvraient plus tout à fait l'herbe jaune et rase qui poussait autour d'Ankor. Des nuages glissaient doucement, moutonneuses promesses d'eau et de fraîcheur. Sentant l'excitation de sa mère, le bébé de Nathanaëlle s'agitait.

Les portes grandes ouvertes étaient à l'échelle de la muraille, immenses, gardées par deux nains dont la petite silhouette était perdue dans l'ombre des pierres.

Nathanaëlle devait se retenir de sauter de son équibot pour courir jusqu'aux portes d'Ankor. Elle aurait été bien vite essoufflée avec son ventre rond. Tapotant nerveusement sur le métal de sa monture, elle enregistrait chaque détail qui s'offrait à elle.

De temps à autre, des diffractions multicolores de la lumière étaient visibles au-dessus de la muraille, comme de petits carrés arc-en-ciel. La jeune femme devina qu'il s'agissait du dôme d'aura qui protégeait les nains. Perchés sur la muraille, derrière un muret, s'affairaient d'autres nains. D'énormes arbalètes pointaient leurs carreaux vers les nouveaux arrivants.

Dès qu'ils furent à portée de voix, l'un des gardes les interpella.

« Les saurials et la lycanthrope peuvent avancer, mais l'humaine et l'elfe restent à distance. Si vous voulez entrer, patientez devant la porte jusqu'à ce que l'on revienne vers vous. »

Nathanaëlle devait avouer qu'elle était légèrement vexée d'être traitée de manière aussi expéditive, sans même avoir la possibilité de se présenter ou d'expliquer sa présence. Pourtant, elle savait que le garde n'avait sûrement pas le pouvoir de prendre la moindre décision et elle décida de prendre son mal en patience.

C'était donc l'heure des adieux. Avec émotion, l'elfe et la pyromage rendirent leur équibot à la guilde. À vrai dire, les saurials ne paraissaient pas mécontents de les laisser enfin derrière eux et Ycesth gardait son masque sévère d'impartialité. Seul Lancel s'avança vers eux pour les étreindre, sans rien dire. Ses yeux s'embuèrent. Il s'était vraiment pris d'affection pour Arthaer, pensa Nathanaëlle. Quand le conteur revint vers les enfants, il leur chuchota quelques mots et ils agitèrent leur main pour saluer leur camarade de jeu. Arthaer ressentit le mouvement et répondit à leurs au revoirs avec émotion.

Puis, la guilde se mit en marche vers la porte, de son éternel pas régulier. En passant près d'eux, Nirvielle glissa quelques mots à Nathanaëlle et Arthaer :

« N'oubliez pas de vous demander ce que ceux qui vous aident gagnent en retour. »

La jeune femme n'y fit pas vraiment attention, trop émerveillée par son objectif qui n'était qu'à quelques mètres d'elle.

Quand les saurials eurent disparu derrière la muraille, le garde mit ses mains en porte-voix et cria :

« Le protocole d'entrée des humains et des elfes peut être assez long, je vous conseille de vous installer confortablement. »

Arthaer perçut le ton moqueur du nain. Il ne pouvait pas lui en vouloir : les voir arriver comme des fleurs devait avoir un côté comique. Avec Nathanaëlle, il s'assit dans l'herbe jaune où le vent avait charrié des cendres noires.

L'ankorien n'avait pas menti. La nuit tomba avant qu'il ne leur ait à nouveau adressé la parole. D'autres saurials, en guilde ou seuls, étaient entrés non sans leur jeter un regard intrigué. Ils n'avaient alors subi qu'une fouille sommaire de leur marchandise.

Nathanaëlle et Arthaer n'avaient d'autre choix que d'attendre en plein cagnard. Les odeurs de smitz, de bière et de végétation – de vraie végétation bien verte – leur chatouillaient les narines. De la sueur coulait de leur front dans leurs yeux fatigués. Arthaer se balançait au rythme de la musique qui émanait de la ville, mêlée à des voix fortes et parfois interrompue par un long sifflet.

Quand Eos eut disparu à l'horizon, six nains se rassemblèrent pour fermer les lourdes portes. La pierre racla le sol de terre battue. Les deux voyageurs n'entreraient pas en Ankor avant le lendemain. Avec un pincement au cœur, Nathanaëlle se résolut à se coucher.

Arthaer se blottit près d'elle et elle trouva sa chaleur plus réconfortante encore que d'habitude. L'elfe avait bien grandi pendant leur voyage, remarqua-t-elle. Son pantalon raccourci ne couvrait maintenant plus ses chevilles et il n'était plus le gamin timide et craintif qui s'était caché dans une grotte avec elle, de longs cycles de Sélénée plus tôt. C'était un adolescent qui apprenait à s'accepter. La jeune femme espérait de tout son cœur que les nains l'aideraient à suivre cette voie.

Une deuxième bouffée d'amour envahit Nathanaëlle alors qu'elle reportait son attention vers le seul être qui pourrait l'accompagner à travers l'Arche.

« On va y arriver, promit-elle silencieusement à son enfant. Tu prendras ta première inspiration sur Terre, il suffit que tu tiennes encore un peu, même si c'est étroit, même si tu es trop curieux. Je t'en supplie, reste encore un peu au chaud. »

Les deux voyageurs furent tirés du sommeil par une voix perçante. Les premières lueurs de l'aube pointaient enfin. La naine – puisque ce devait en être une – qui les avait réveillés était un véritable moulin à paroles. Son flot ininterrompu était si rapide qu'Arthaer ne saisissait quasiment aucun mot. À peine comprit-il qu'elle était là pour eux.

La porte s'ouvrit, dévoilant un groupe de gardes et, au milieu d'eux, l'incarnation parfaite de la voix. L'ankorienne était plus petite encore que ses compatriotes, ce qui ne l'empêchait pas d'avoir l'ascendant sur eux. Elle gesticulait dans son tailleur à rayures roses et grises et agitait une valisette en cuir noir. Elle devait appartenir à une caste supérieure, pensa Arthaer. Nathanaëlle ne savait pas quoi penser de cet ouragan bigarré.

Quand la naine se détourna enfin des gardes, elle tourna son visage rond vers les deux voyageurs. Ses longs cheveux bouclés étaient noués en deux tresses qui se rejoignaient sous son menton pour former un simulacre de barbe. Les nœuds des tresses étaient séparés à certains endroits par d'épais anneaux de métal bleuté ou cuivré gravés de lettres qu'Arthaer reconnut comme du nanique.

Quand elle s'avança à grands pas vers eux, Nathanaëlle crut un instant que c'était pour les exécuter sur place tant sa démarche était conquérante. Pourtant, sa voix, tonitruante quelques secondes auparavant, se fit soudain chantante.

« Bienvenue ! les salua-t-elle en elfique à peine teinté de l'accent rauque des nains. Je suis vraiment désolée de vous avoir fait attendre si longtemps. Je suis arrivée dès que j'ai reçu le *piafabot* mais ces fainéants ont refusé de m'ouvrir la porte avant l'heure réglementaire ! »

Face à un tel concentré d'assurance, Nathanaëlle prit vaguement la défense des gardes en bafouillant.

***

Arthaer resta silencieux et concentra son aura sur la valisette pour essayer de deviner son contenu. Il sentit un frisson le traverser quand ses filaments de magie se firent aspirer et disparurent sans laisser de trace. Personne ne remarqua son trouble.

« Je vous demanderais bien pourquoi vous voulez entrer en Ankor, mais nous sommes pressés. Vous me raconterez tout ça dans le… Oh ! C'est vrai que vous ne savez toujours pas le dire en elfique ! Bon, notre moyen de locomotion, vous verrez bien quand vous y serez ! Pour l'instant, retroussez vos manches, je vais vous injecter votre permis d'entrer. »

Joignant le geste à la parole, elle déposa la valise et l'ouvrit en deux cliquetis. Coincés dans un écrin de velours noirs, reposaient une seringue et plusieurs flacons remplis d'un liquide rosâtre. Arthaer déglutit lentement en pensant au vide qu'il avait ressenti quelques secondes auparavant quand l'étrange solution lui avait volé ses filaments d'aura.

***

Nathanaëlle n'était pas sujette aux mêmes inquiétudes. Hypnotisée par l'attitude franche et énergique de la naine bien loin du caractère flegmatique des elfes, elle louchait sur les fioles.

« Qu'est-ce que c'est ? demanda-t-elle avec curiosité.

— Une solution d'animacules qui se nourrissent d'aura. Ce sont nos scientifiques qui les ont découverts, il y a quelques cycles de Sélénée. Grâce à ces petites merveilles, vous entrez et nous sommes en sécurité. »

Des scientifiques ! Nathanaëlle aurait pu sauter de joie rien qu'à l'entente de ce mot. À vrai dire, il était tellement peu usité par les elfes qu'elle avait failli ne pas le comprendre.

« Et… ça ne peut pas faire de mal à mon bébé ? demanda-t-elle en désignant son ventre du regard.

— Aucun risque ! Les animacules ne mangent que l'aura, pas les enfants ! »

L'ankorienne accompagna sa boutade d'un clin d'œil complice.

Nathanaëlle n'avait jamais aimé les piqûres, mais l'aiguille semblait fine. Sans plus d'hésitation, elle remonta sa manche et demanda à Arthaer de produire de l'eau pour nettoyer le creux de son coude. Il la tira en arrière et elle faillit trébucher en reculant.

« Qu'est-ce qu'il y a ? s'étonna-t-elle.

— On ne sait pas ce qu'il y a réellement dans ces fioles, voilà ce qu'il y a !

— S'ils voulaient nous tuer, ils l'auraient déjà fait avec leurs arbalètes. »

La mage désigna les remparts d'où dépassaient des carreaux tous pointés sur eux.

« Si veux rebrousser chemin maintenant, je ne peux pas t'en empêcher, continua-t-elle. Mais moi… C'est la meilleure chance que j'ai de tenir mon enfant dans mes bras… Je ne la laisserai pas passer. »

***

Arthaer n'osa pas lui dire que la solution n'avait sûrement pas été testée, qu'ils étaient très probablement des cobayes, que leur but était peut-être d'expérimenter un poison qu'ils pourraient ensuite utiliser sur le champ de bataille. Il n'osa pas non plus lui dire qu'il ne savait pas quels effets aurait le manque d'aura sur son corps de druide. Il s'était imposé à la jeune femme, il ne pouvait pas l'empêcher maintenant d'atteindre son but. Il tendit son bras à son tour.

***

L'aiguille plongea dans la chair un peu trop vite, et Nathanaëlle serra le poing pour ne pas retirer son bras. La naine n'était de toute évidence pas une infirmière. Alors que le liquide quittait la seringue, elle reprit d'ailleurs son quasi-monologue.

« Mais au fait quelle empotée je fais ! Je ne me suis même pas présentée ! Je m'appelle Sixtine Gohar, je suis conseillère de Sa

Majesté et chargée de vous escorter jusqu'à son palais dans notre glorieuse capitale : Nourh.

— C'est là-bas que se trouve le portail vers mon monde ? N'est-ce pas ? »

Nathanaëlle avait prévu de garder ce qui l'amenait en Ankor secret, pour garder un élément de surprise et de négociation, mais elle n'avait pas pu s'empêcher de poser la question.

« Je préférerais en parler un peu plus en privé, mais je crois déjà pouvoir vous dire que… Oui. »

Sixtine lui fit un nouveau clin d'œil et la jeune femme sentit son cœur se gonfler de joie. Même son ventre rond lui parut soudain plus léger.

Ce sentiment s'intensifia quand la solution se mêla à son sang. La jeune femme pouvait sentir son aura bouillonner légèrement puis disparaître complètement. Le picotement diffusa le long de son bras puis dans tout son corps, effaçant la douleur sourde qui y pulsait. C'était comme si la bulle qui contenait son enfant s'était étendue à tout son organisme. La mage prit de longues inspirations. Elle avait l'impression de sortir de l'eau après être restée trop longtemps en apnée.

***

Arthaer regarda sa compagne de route. Le visage tourné vers le ciel, les yeux mi-clos, elle semblait être dans un état second. Le bras de l'elfe trembla quand il l'approcha de la naine. Il crut déceler un demi-sourire narquois sur son visage potelé, mais peut-être la peur le rendait-il paranoïaque. Elle semblait juste heureuse d'être là et un peu pressée de les amener à destination, se raisonna-t-il.

Comme le jeune druide l'avait craint, il ne ressentit aucune euphorie quand Sixtine pressa lentement le piston de la seringue. La douleur vive qui naquit dans son coude lui arracha un hoquet de surprise et il eut le souffle coupé quand elle se mit à irradier jusqu'à son épaule. La maudite naine venait d'allumer le feu des Infernaux directement dans son bras ! Tous ses muscles crispés, il se battait contre les minuscules démons qu'elle venait de lui injecter, tirant sur les filaments de magie dilués dans son sang qu'ils tentaient d'absorber.

Des larmes coulèrent de ses yeux laiteux, mais aucun son ne franchissait ses lèvres distordues de douleur. Bientôt, les parasites se répandirent jusqu'à son torse et sa gorge, enserrant ses poumons et son cœur dans un carcan qui se resserrait de plus en plus. Alors que Nathanaëlle s'était sentie libérée de chaînes trop lourdes pour elle, l'enfant était comprimé par son propre corps qui luttait contre les microbes.

***

À la sortie de sa semi-transe, la première chose que vit Nathanaëlle fut le corps recroquevillé de son ami, son visage plus pâle qu'il ne l'avait jamais été et inondé de larmes.

« Arthaer ! » s'écria-t-elle avec horreur.

Ses avertissements la heurtèrent de plein fouet, trop tard !

« Que lui avez-vous fait ? cracha-t-elle à la naine qu'elle trouva bien trop calme.

— La même chose qu'à vous. Mais contrairement aux humains, les sylvains sont adaptés à la magie, pas à son absence. Rassurez-vous, il ne devrait pas mourir, mais je dois admettre que ça a l'air assez douloureux. »

La jeune femme aurait aimé laisser sa colère exploser face à l'émissaire pour avoir volontairement fait du mal à Arthaer, mais elle se détourna et s'agenouilla près de lui.

Il respirait enfin, mais par à-coups et avec un sifflement inquiétant.

« Eh ! Arthaer ! Je suis là ! Calme-toi ! Respire ! Calme-toi ! Je t'en prie ! »

Nathanaëlle se savait inutile et la culpabilité grondait en elle. Elle aurait voulu avoir mal à sa place, retrouver sa douleur quotidienne et même pire si cela avait pu le soulager lui. En cet instant, elle ne pensait plus à elle ni à son enfant à naître, elle pensait à celui qui était là et qui l'avait suivie jusqu'ici, à travers un désert de cendres, et qu'elle venait peut-être de condamner par égoïsme et empressement. Fallait-il toujours qu'elle soit aussi impulsive ?

À mesure qu'elle se mettait à trembler à son tour, autant de peur que de douleur partagée, la respiration de l'elfe se calma. Il se mit à inspirer plus longtemps et put articuler quelques mots :

« Ça va aller… »

Paralysée de honte, Nathanaëlle n'osa même pas prendre l'enfant dans ses bras. Il lui semblait avoir perdu ce droit.

XVI

Er'gaven frappait autour de lui sans discontinuer. Des silhouettes distordues de nains grimaçants remplaçaient sans cesse celles qu'il abattait. Un étrange silence entourait le jeune homme, il n'entendait même pas ses propres cris.

Soudain, dans le ciel teinté de rouge du crépuscule, fendant les nuages sombres et bas, apparut une pointe métallique. C'était la proue cuivrée d'un navire gigantesque. Er'gaven ne fut pas surpris, mais une peur glaciale l'envahit. Il regarda, paralysé, l'embarcation émerger des cumulus orageux, dévoiler sa coque percée de canons et l'énorme ballon ovoïde qui le portait. Le cliquetis entêtant des engrenages brisa le silence.

Le temps s'était comme figé, Er'gaven ne pouvait ni fuir, ni continuer à se battre. Il ne pouvait que fixer l'engin de mort.

Le premier coup de canon fit trembler le zeppelin. Le boulet laissa une traînée de fumée derrière lui et alla s'écraser au milieu de la mêlée. Une flaque de sang se forma sous lui. De la poudre explosa à nouveau. Un dragon s'était approché pour déchirer la toile du ballon de ses griffes et reçu le projectile dans la poitrine. Le troisième lui déchira l'aile.

Er'gaven était toujours incapable du moindre mouvement, mais rien d'autre ne bougeait autour de lui. Il n'y avait que le dragon qui dégringolait du ciel en tournoyant. La masse de muscles et d'écailles frappa lourdement le sol et souleva un nuage de cendres noires. Puis, le temps reprit son cours et tous les nains se précipitèrent vers lui pour l'encercler.

Un clairon sonna.

Er'gaven ne comprit d'abord pas d'où il venait puis il revint à lui. Couvert de sueur, les poings serrés sur les draps gris, il reprit lentement sa respiration. Depuis qu'il avait vu le zeppelin pour la première fois, l'immense vaisseau hantait ses cauchemars.

La nouvelle arme des nains était redoutable. En une semaine, ils avaient dû déménager le camp deux fois, car le front avait trop reculé. Les dragons mourraient les uns après les autres ce qui rendait la tâche des dirigeants bien plus ardue et les manœuvres de relève des bataillons quasiment impossibles. Les catapultes, inaccessibles pour les forces à pied ou en istrief étaient bien plus efficaces et de plus en plus de soldats manquaient à l'appel au moment de rentrer au camp, leur corps réduit en bouillie sous une lourde pierre. Le moral des troupes était au plus bas. Même Celeen était plus modérée dans son enthousiasme. Les paris sur les istriefs survivants s'essoufflaient.

Pour oublier les défaites successives et pouvoir remplacer les dragons mutilés ou massacrés, Er'gaven avait intensifié son entraînement de métamorphose. Il ne dormait même pas cinq heures par nuit, son sommeil était de toute façon trop troublé, et passait le reste de son temps à torturer son corps.

Il avait volé de l'aura. Une fois, puis deux. Puis encore. Au départ, il s'était senti coupable. Lui qui s'était plié toujours à toutes les règles des elfes, voilà qu'il désobéissait maintenant presque chaque jour ! Mais il semblait que les Follets approuvaient ses larcins, car il n'y avait que quand il vidait une fiole entière de magie liquide qu'il obtenait des résultats. Sa gorge en souffrait de plus en plus. Parler lui arrachait les cordes vocales et il communiquait maintenant par chuchotements dès qu'il le pouvait. Celeen avait abandonné l'idée de l'empêcher de s'empoisonner avec cette ambroisie traîtresse.

À vrai dire, quand ils étaient ensemble, elle faisait la conversation, sans plus jamais attendre de réponse de sa part. Er'gaven sentait qu'il n'aurait pas dû se laisser glisser ainsi dans le silence, mais il n'y pouvait rien, c'était trop reposant. Il écoutait la jeune elfe sans rien retenir de ce qu'elle racontait, l'esprit vidé par l'extase de l'aura pure. S'il n'avait pas souffert le martyre pendant ses transes, il en aurait bu toute la journée.

XVII

Alors qu'elle s'imaginait faire une entrée triomphante en Ankor, Nathanaëlle fit ses premiers pas dans le royaume nain avec la boule au ventre. Elle soutenait le corps frêle et tremblant d'Arthaer malgré son propre poids et pestait intérieurement contre les pavés qui la faisaient trébucher. Elle aurait pourtant dû se réjouir de retrouver des routes dignes de ce nom.

Les rues étroites étaient bordées par de hautes habitations. Les grandes fenêtres avaient des balcons de métal sophistiqués et des cheminées de briques poussaient sur les toits d'ardoises, coiffées de petits chapeaux de tôles. La jeune femme se surprit à reconnaître le style haussmannien des immeubles parisiens et sa culpabilité s'atténua légèrement. De nombreuses boutiques étaient dispersées dans la ville : épiceries, tailleurs, librairies même…

***

L'odeur des peaux tannées se mêlait à un brouhaha confus. Arthaer réussit à isoler le son des marteaux de forge, les notes du drôle d'accordéon manié par un nain au chapeau haut de forme rapiécé et une cloche qui sonnait par intermittence. Le reste n'était qu'une bouillie de bruits divers.

Après le silence du désert, l'agitation du bourg était agressive. Sans son sixième sens, le druide aurait voulu se concentrer sur son ouïe, mais la cacophonie le désorientait complètement. Agrippé au bras de

Nathanaëlle il avançait à petits pas prudents. Sixtine continuait de blablater, mais il ne l'écoutait plus.

***

La jeune femme n'était pas beaucoup plus concentrée. Toute son attention était monopolisée par la démarche hésitante du druide et la ressemblance de la ville avec ses souvenirs de la Terre. Elle entendit d'une oreille la conseillère royale leur expliquer que l'architecture était inspirée de ce qu'un humain leur avait décrit près de deux siècles plus tôt. Il avait fallu des semaines avant d'arriver à des croquis qui l'avaient satisfait et ils étaient très fiers d'avoir pu généraliser ce style architectural qui leur avait tapé dans l'œil. Sans qu'elle s'en rende compte, le cœur de la jeune femme se mit à battre un peu plus fort. Rentrer chez elle… Perdue entre son inquiétude pour Arthaer et la joie immense d'être arrivée au bout de son interminable voyage, la mage se mit à pleurer doucement. Pour une fois, Arthaer ne lui demanda pas si elle allait bien. Il avait assez à faire de son côté.

L'odeur à la fois amère et sucrée du pain de vehnä tout chaud recouvert de confiture de smitz fit frissonner le petit groupe, mais Sixtine refusa de s'arrêter.

« Nous sommes pressés ! dit-elle en tapant dans ses mains pour qu'ils accélèrent leur marche. »

Elle ne réussit cependant pas à cacher sa frustration et si Nathanaëlle avait été plus alerte, elle aurait remarqué les regards hostiles que leur lançaient les commerçants et les passants. Malgré leur escorte de deux gardes armés jusqu'aux dents, tous faisaient de grands écarts pour les éviter et ramenaient les plus jeunes vers eux. Si Arthaer avait perçu ce qui l'entourait, il aurait eu l'impression d'être de retour à la Communauté.

C'est donc l'estomac creux qu'ils arrivèrent sur une place arrondie, traversée par des rails et sur ces rails… Un train à vapeur ! Une locomotive avec quatre paires de roues reliées par de longues barres tirait trois petits wagons. Nathanaëlle se serait crue rêver ! Comment imaginer qu'un train aussi ressemblant à ceux de ses livres d'histoire puisse se trouver ici, au milieu d'une ville naine ? Bien sûr, il n'était pas alimenté par de la vapeur de charbon, mais par de l'aura pure que l'on pourrait voir luire sur les roues. Mais tout de même… C'était… Miraculeux !

« Je vais rentrer chez moi Arthaer. Je vais vraiment rentrer chez moi ! »

Toute à son émerveillement, Nathanaëlle ne sentit pas la crispation d'Arthaer à l'entente de cette sentence.

***

Elle allait rentrer chez elle. Comme prévu. Et il allait devoir se débrouiller seul sans sa magie…

Le voyage parmi les saurials lui avait presque fait oublier sa cécité. Cet oubli avait pourtant été balayé d'un coup par l'anéantissement de sa magie. Même si Sixtine avait raison, même si ce n'était que temporaire, il lui semblait qu'on venait de l'amputer d'un membre, de le mutiler. S'il voulait rester parmi les nains, devrait-il abandonner sa magie à jamais ? En serait-il capable ? Combien de temps survivrait-il avec ce vide dévorant au fond de lui ?

Pourtant, cet horrible sérum était peut-être une bonne nouvelle. Sans magie dans le sang, le bébé de Nathanaëlle avait une chance de survivre en Ankor… Le seul problème était ce « peut-être », cette incertitude que la future mère n'accepterait à aucun prix. Et puis, Arthaer le savait, la jeune femme ne voulait pas seulement avoir un enfant, elle voulait retrouver le monde auquel on l'avait arrachée. Lui ne ressentirait jamais ce désir, mais il savait qu'il ne pourrait pas l'éteindre chez son amie.

Pour une fois, il avait envie d'être égoïste, de parler à la mage de cette solution, de la culpabiliser dans l'espoir qu'elle reste, au moins encore un peu. Malgré le risque. Mais une petite voix au fond de lui susurrait qu'il ne le méritait pas. Il se tut. Il aurait aimé que Nathanaëlle n'entende jamais parler de l'Arche. Mais alors, ils n'auraient jamais traversé la moitié d'Eowhull ensemble… La douleur embrumait ses pensées.

***

Nathanaëlle s'assit avec soulagement sur une banquette du premier wagon. Elle était poussiéreuse et trop rigide, mais la jeune femme peinait de plus en plus à rester debout. Son dos était arqué par son ventre trop lourd. Arthaer ne la lâcha pas vraiment, même s'il n'avait plus besoin d'elle pour marcher. Les gardes se postèrent devant la porte coulissante alors que Sixtine s'installait face aux deux voyageurs. Elle s'appuya de ses bras potelés sur la tablette métallique qui les séparaient et se pencha vers eux. Elle les dévorait du regard et un immense sourire barrait son visage.

En observant d'un peu plus près les traits de la naine, la pyromage remarqua ses oreilles pointues, pas tout à fait dissimulées sous son épaisse chevelure. Les nakfirs n'avaient pas tout à fait disparu, pensa-t-elle, les nains et les elfes se ressemblaient toujours un peu.

Ses réflexions furent brutalement interrompues par la voix hautaine et déjà si familière de l'ankorienne :

« Bon ! Il est temps d'en apprendre un peu plus sur mes petits protégés ! décréta-t-elle. Je me doute que la demoiselle veut rentrer chez elle, mais que fait le jeune elfe qui l'accompagne ? Un chevalier servant peut-être ? »

Sixtine n'avait pas l'air surprise par la venue de Nathanaëlle et elle en vint à se demander si le voyage qu'elle avait entrepris n'était pas plus commun que la communauté ne voulait leur faire croire…

« Je… viens demander asile », répondit Arthaer.

Immobile et à l'écart de la foule, le vertige de son vide intérieur était un peu plus supportable. Il réussit à rendre sa voix plus assurée qu'il ne l'était vraiment.

« Vraiment ? Voilà qui est excitant ! »

Et effectivement, la naine avait l'air fébrile. À cause de quoi ? Les deux voyageurs n'en étaient pas certains.

Le train démarra dans un bruit de ferraille. En quelques minutes, il quitta la ville bruyante et se mit à zigzaguer entre les collines verdoyantes d'Ankor. De grands vergers prenaient la lumière des versants sud tandis qu'au nord s'étendaient des villages aux maisons parsemées. De temps en temps, un oiseau aux reflets cuivrés survolait le convoi. Pendant une demi-seconde, il semblait disparaître et, quand on le voyait à nouveau, il était déjà bien loin.

Il y avait peu de villes, remarqua Nathanaëlle et elle se demanda où vivait le peuple nain. Peut-être plus au nord. Après tout, le train filait à toute vitesse, si bien que les paysages étaient flous, mais ils n'étaient pas partis depuis bien longtemps. Ils avaient encore bien des choses à découvrir.

***

Pendant que la jeune femme s'imprégnait de la beauté des collines naines, Sixtine s'intéressa à Arthaer. L'arrivée du piafabot avait illuminé sa morne journée, mais c'était la présence du Sylvain qui l'avait vraiment excitée. Des humains qui fuyaient la tyrannie des elfes, ce n'était pas si rare. Que ce soit un sylvain qui fasse le voyage était beaucoup plus inhabituel. Bien sûr, il était probable qu'ils soient un groupe d'espions envoyés en reconnaissance pour tenter de désactiver le dôme d'aura, mais… quelque chose lui disait que ce n'était pas le cas. Peut-être parce que c'était un enfant ? Malgré leur confiance absolue en les Follets, elle ne croyait pas les elfes assez stupides pour envoyer un gamin et une jeune femme seuls dans la gueule du loup.

Au grand désarroi de la naine cependant, ses questions furent vaines : les cahots du train rendaient Arthaer aussi malade que lorsqu'ils avaient quitté le port de Zwoult. Sa peau pâle parcourue de fines lignes bleutées avait tourné au verdâtre.

Elle se tourna alors vers Nathanaëlle. Savait-elle qu'elle était enceinte quand elle avait quitté la communauté pour se jeter dans l'inconnu ? Sixtine avait déjà entendu parler des humains qui frappaient aux portes d'Ankor. Ils étaient décrits comme des pleutres qui préféraient se rendre plutôt que d'affronter le champ de bataille. La jeune femme n'était pas de ceux-là, pensa la naine. Ce n'était pas la lâcheté qui l'avait menée jusqu'ici. Pourtant, avec son ventre distendu et ses cheveux coupés courts, elle n'avait pas la stature d'une héroïne.

***

« Il est prévu pour quand ? s'enquit Sixtine en désignant le ventre de Nathanaëlle du menton.

— Je ne sais pas. »

Par réflexe, la jeune femme avait amené la main à son ventre. Elle sentit une vague de chaleur le traverser quand elle sentit le petit pied de son bébé contre sa peau.

« Bientôt, je pense. Quand arriverons-nous à l'Arche ?

— Nous serons dans quelques heures à Nourh. Ensuite, il nous faudra sûrement deux ou trois jours pour organiser votre transfert. Mais dites-moi, qu'est-ce qui a changé sur Terre ces dernières années ? Racontez-moi vos dernières innovations ! »

Rassurée, la mage se détendit légèrement et entreprit de lui dépeindre le monde qu'elle avait connu en tant qu'adolescente. Elle parla des trains à grande vitesse, des voitures, des avions, mais aussi de la médecine, des bâtiments modernes couverts de vitres… Plus elle parlait et plus les souvenirs affluaient. Sa mémoire se réveillait après une sieste bien trop longue.

Sixtine l'écouta religieusement. Elle avait sorti d'une poche de sa veste rayée un petit calepin et ce qui semblait être un fusain. Elle prenait des notes aussi erratiques que l'était son bavardage. Quand Nathanaëlle mentionna le téléphone, elle l'interrompit :

« Seriez-vous capables de nous décrire son fonctionnement ? »

Nathanaëlle avoua, désolée, qu'elle n'en avait aucune idée. Sixtine afficha une moue déçue.

« Les autres non plus ne savaient pas. C'est dommage. Ce serait bien pratique. »

La jeune femme se demanda alors la part d'héritage humain dans le monde des nains. Utiliser l'aura pour faire fonctionner des machines prévues pour le charbon ou l'électricité était un véritable tour de force, mais les ankoriens perdirent un peu de la superbe et de l'ingéniosité que leur prêtait la mage : ils avaient eu de sacrés coups de pouce !

Peu importait. La jeune femme allait bientôt redevenir étrangère à ce monde. Les nains pourraient bien copier toutes les inventions qu'ils voulaient. Ils pourraient se battre avec les elfes jusqu'à ce qu'un nouveau désert de cendres se forme, cela n'aurait plus d'importance. Ou presque.

« Lorsque je passerai à travers l'Arche, je ne pourrai pas revenir en Eowhull ?

— Non. C'est un truisme. Sinon, nous n'aurions pas besoin de vous pour découvrir le monde humain. »

La naine répondit sans même lever les yeux de la page à carreaux gribouillée de son calepin. Pour Nathanaëlle, c'était tout à la fois une sentence et un soulagement. Elle ne voulait plus rien à voir avec ce monde, plus jamais y être coincée, mais… Elle avait des attaches ici. Idriël, Arthaer, les cadets… Er'gaven. Encore une fois, peut-être la dernière cette fois-ci, elle se demanda si elle avait bien fait de partir. Son hésitation ne dura qu'une seconde, le temps que son enfant lui donne un coup de son tout petit poing et la ramène à la réalité. Évidemment qu'elle avait eu raison.

Le train s'arrêta à une gare bondée. Nathanaëlle était prête à sauter sur le quai, mais Sixtine l'arrêta tout de suite d'un geste brusque. Elle allait acheter des en-cas, leur assura-t-elle, et ils n'auraient plus que deux heures de trajet avant d'arriver à Nourh. Les gardes se rapprochèrent des deux voyageurs, la main serrée autour du manche de leur hallebarde, le visage fermé. Des dizaines de nains se précipitèrent dans le wagon. Très vite, il n'y eut plus de places assises et ils se tassèrent les uns contre les autres, en évitant soigneusement la banquette des intrus. Quand elle revint, Sixtine ignora la tension qui s'était installée et se remit à parler d'une voix forte dès la première bouchée de son déjeuner avalée. Elle avait ramené des pains de vehnä fourrés de lamelles de viande brune et de tranches en forme de petits losanges qui devaient être un légume local. Nathanaëlle dévora sa part et finit celle d'Arthaer qui avait toujours l'estomac retourné. Tout était déjà englouti quand le train siffla et repartit.

Nourh n'avait pas été édifiée sur n'importe quel monticule. La capitale était perchée au sommet de la plus haute colline qui s'était dressée devant eux depuis leur départ. Ici, pas de verger. Le style haussmannien était de retour et couvrait tous les versants, au point qu'on ne distinguait plus un seul brin d'herbe. Des centaines d'oiseaux métalliques – des piafabots, leur indiqua Sixtine – allaient et venaient de tous les horizons et convergeaient tous vers une immense tour qui n'était pas tout à fait droite.

Le train ralentit à son entrée dans la métropole puis s'arrêta complètement. Tous les nains et naines qui étaient dans le wagon de l'émissaire royale et de ses deux invités se ruèrent dehors. Les gardes les laissèrent se bousculer puis se mirent de part et d'autre de la porte pour signifier à Sixtine qu'elle pouvait sortir. Si son entrée en Ankor avait manqué de gloire, l'arrivée de Nathanaëlle à la gare de Nourh ne passa pas inaperçue. Cette fois-ci cependant, elle ne put s'empêcher de remarquer la peur et peut-être même… la haine dans le regard des passants qui s'arrêtèrent un instant pour les fixer.

Ici, Arthaer et elle étaient deux bêtes curieuses, deux prédateurs que l'on a sous bonne garde, mais dont on redoute à chaque instant qu'ils tentent de mordre. La jeune femme se raisonna, elle ne pouvait pas en vouloir aux nains. Ils étaient en guerre avec leurs peuples, il était normal qu'ils se méfient d'eux. Dès lors qu'ils sauraient qu'ils n'avaient aucun lien avec les combats, leur regard changerait. La mage en était convaincue.

Sixtine leur présenta l'immense gare dans laquelle ils venaient d'arriver. Les quais étaient recouverts d'une immense coupole de verre couverte de barres métalliques forgées pour dessiner une carte du royaume. L'enchevêtrement sinueux des lignes de train projetait d'immenses ombres sur le sol marbré. La naine en était très fière.

Le reste de la capitale était du même acabit. Nathanaëlle s'émerveilla devant leur équivalent d'une cour de justice aux hautes colonnades, leurs académies d'ingénierie et de gouvernance, leurs monuments aux morts gravés dans des pierres rouge sang ou encore les innombrables fontaines. À côté de tant de prestance, la ville à la frontière qu'ils avaient traversée pour prendre le train avait l'air d'un village arriéré.

Arthaer ne pouvait pas profiter de cette splendeur. L'odeur de sueur des centaines de passants lui donnait au moins autant la nausée que les ballottements irréguliers du train. Cependant, les animacules dans son sang commençaient à faiblir légèrement et il était de nouveau capable de détecter les formes à quelques centimètres devant lui. Sa démarche était donc bien plus sûre.

Après avoir déambulé dans la ville jusqu'à en avoir mal aux pieds, la conseillère royale les mena au centre de la capitale. L'immense palais qui avait été érigé au sommet de la colline sembla à Nathanaëlle tout à fait incongru. En effet, l'édifice en pierres claires avait les arches et les dômes d'un mausolée indien. Le contraste avec le reste de la ville était saisissant.

Des bas-reliefs semblables à ceux de la muraille qui entourait le royaume habillaient l'arche colossale de l'entrée principale. Dès que l'on pénétrait dans l'enceinte du palais, on découvrait un parc organisé en jardins à la française avec des fontaines grandioses et des arbres taillés en forme de guerriers nains. Des jardiniers s'affairaient ici et là pour ramasser une feuille morte dans une allée ou couper une branche qui dépassait.

Sans un regard pour la merveille architecturale, Sixtine s'engouffra sous une nouvelle arche. Le sol à cet endroit était couvert de mosaïque colorée qui faisait résonner les pas des visiteurs. Le plafond haut réverbérait encore ces sons. Le couloir était vide, comme si le château colossal était en fait démesuré et n'avait pas pu être rempli. C'était peut-être le cas.

« Vous serez logés dans l'aile nord du bâtiment ouest au troisième étage. Évidemment, des gardes surveilleront votre porte jour et nuit, mais votre intimité sera respectée tant que vous restez dans la suite qui vous a été attribuée. Votre dîner vous sera servi à vingt heures précises. Demain, vous serez convoqués à dix heures et devrez donc être prêts à neuf trente-cinq pour être escortés jusqu'à la salle de conseil. Vous devrez porter une des tenues que vous trouverez dans la penderie de votre chambre. Il vous sera aussi demandé de prendre un bain pour être présentables. Les conseillers n'ont pas de temps à perdre. Aussi, vous devrez être d'une ponctualité irréprochable. Si vous respectez ceci, ce devrait être une affaire qui roule. »

Nathanaëlle et Arthaer peinaient à suivre le monologue ininterrompu de la naine. Elle marchait devant eux sans même se retourner pour vérifier qu'ils étaient toujours là et malgré sa petite taille, elle allait vite. Quand elle leur ouvrit la porte de leur suite et les y abandonna, ils restèrent un instant dans l'encadrement, un peu sonnés. Nathanaëlle se rendit compte qu'elle ne savait même pas cc qu'attendraient d'elle les conseillers.

La suite était à la hauteur du reste de l'édifice. Un lit à baldaquin trônait au milieu de la chambre, à côté de fauteuils couverts de coussins et d'une bibliothèque si haute qu'il y avait devant elle un escabeau pour atteindre les ouvrages les plus hauts perchés. Quand Nathanaëlle laissa tomber son sac par terre, un bruit mat se fit entendre. Elle eut une pensée émue pour Idriël en sortant le bol qu'il avait mis dans ses affaires des mois auparavant. Elle n'aurait jamais pu arriver jusqu'ici sans son ami blondinet.

Une petite porte donnait sur une salle de bain très propre avec une baignoire. Une baignoire ! Nathanaëlle n'en croyait pas ses yeux. Cependant, sa surprise atteignit un nouveau paroxysme quand de l'eau chaude coula du robinet.

La jeune femme ne sortit de son bain que quand ses doigts furent aussi fripés que des pruneaux. Elle s'enroula avec délice dans une serviette bien plus douce que les tissus rapiécés et râpeux de la communauté. Elle caressa avec amour son ventre gonflé et fixa un instant son reflet dans le miroir. C'est à peine si elle se reconnut. Son visage s'était arrondi, mais la rendait paradoxalement plus adulte. Des cernes se dessinaient sous ses yeux fatigués, mais un sourire apaisé s'étirait sur ses lèvres gercées par la sécheresse du désert. Ses parents la reconnaîtraient-ils ? Sûrement, pensa-t-elle.

Quand elle revint dans la chambre, elle vit Arthaer prostré dans un des fauteuils. Le rembourrage généreux du siège amplifiait sa maigreur.

« Ça va ? » lui demanda Nathanaëlle.

Elle ressentit une pointe de culpabilité à l'idée d'avoir monopolisé si longtemps la salle de bain. L'elfe devait aussi avoir hâte de se débarrasser des dernières poussières de cendres prises dans les plis de sa peau et dans ses cheveux. Il haussa les épaules.

« Oui. Je suis juste malade à cause du voyage.

— Et… Ton aura ?

— Elle reviendra. »

Les réponses expéditives de l'enfant inquiétèrent la mage, mais elle n'insista pas. Elle alla à nouveau faire couler de l'eau brûlante, comme pour se racheter.

Cette nuit-là, Nathanaëlle et Arthaer dormirent dans le grand lit, entre le matelas moelleux et la couette lourde et chaude. Pourtant, chacun de son côté, séparés par un immense vide, ils se sentirent plus seuls qu'ils ne l'avaient jamais été ces derniers mois. Une distance s'était creusée entre eux. Ils ne savaient pas comment, n'osaient pas formuler pourquoi, mais cet éloignement était comme un souffle glacial qui se glissa sous les draps et s'enroula autour de leur cœur.

Nathanaëlle fut réveillée par les picotements douloureux de l'aura qui s'insinuait à nouveau en elle. Il lui semblait que chaque pore de sa peau était régulièrement parcouru de décharges électriques. La jeune femme serra les dents et se roula en boule sous la couette. Tant que cela ne toucherait pas son bébé, elle supporterait la douleur. Si elle prévenait les gardes que la solution que Sixtine leur avait injectée n'était plus active, ce serait à Arthaer de souffrir. C'était chacun son tour et Nathanaëlle refusait d'abréger le sien.

Eos était déjà haut dans le ciel quand un petit déjeuner leur fut servi. Avant qu'ils ne puissent se jeter sur les tartines de smitz, un serviteur en costume gris souris vint leur injecter une dose d'animacules. C'est encore chancelant de vertige qu'Arthaer avalât une tranche de pain sec et qu'il enfilât une tenue trouvée dans la penderie. Des dizaines de costumes y étaient suspendus, vierges de tout pli. Évidemment, aucun n'était à la taille de l'enfant et malgré l'aide de Nathanaëlle pour retrousser ses manches et le bas de son pantalon, il flottait ridiculement dans le tissu. Quant aux chaussures de cuir, il devait sans cesse lutter pour qu'elles ne quittent pas ses pieds.

Nathanaëlle n'eut pas la tâche plus aisée. Aucune chemise ne pouvait se fermer sur son ventre trop rond. Après trois essais et la perte de deux boutons nacrés, elle abandonna. Elle passa une veste trop longue sur la tunique distendue qu'elle s'était cousue elle-même dans la cale humide du bateau. Elle non plus n'avait pas fière allure.

Elle sentit la honte l'envahir quand elle croisa le regard méprisant du serviteur et des gardes qui les escortèrent à travers les couloirs trop propres du palais.

La salle dans laquelle on les mena était déjà occupée par une vingtaine de nains assis derrière une table massive en arc de cercle. Ils étaient tous vêtus de costumes bien ajustés et affichaient une mine sévère. Sixtine était parmi eux et leur adressa un demi-sourire complice.

L'ankorien qui était au milieu de tous les autres se leva. Tout en grattant sa barbe grise et en rajustant son monocle, il salua les deux invités dans un elfique sûr mais aux « r » fortement roulés.

« Je suis Ulrich Deirkol, doyen des conseillers royaux. Je vous souhaite la bienvenue en Ankor. Le peuple nain tout entier se joint à moi pour vous signifier sa gratitude d'avoir fait un si long voyage pour venir jusqu'ici. Sachez que vous ne serez pas traités comme ennemis tant que vous ne tenterez pas de trahir notre confiance. »

Le salut était protocolaire. Aucune chaleur n'émanait du vieillard à la voix croassante.

Il leur enjoignit ensuite de se présenter et d'indiquer la raison de leur venue. Nathanaëlle et Arthaer furent tous deux honnêtes. L'une voulait rentrer chez elle, l'autre trouver un foyer. Le druide omit cependant ses pouvoirs… particuliers. Les conseillers les écoutèrent plus ou moins attentivement. Alors que certains acquiesçaient à chaque phrase, d'autres dodelinaient de la tête et menaçaient de s'endormir. Une naine plus jeune que les autres prenaient des notes à la plume sur un long parchemin.

« Bien, conclut Ulrich. Nous allons maintenant nous concerter sur la démarche à suivre pour s'occuper au mieux de votre cas. »

Nathanaëlle comprit à son léger signe de tête qu'il les congédiait. Prenant la main d'Arthaer dans la sienne, elle l'entraîna avec elle vers la porte. Les deux gardes sortirent avec eux et les encadrèrent dans le couloir.

Arthaer frottait frénétiquement ses mains l'une contre l'autre. Il ne se sentait pas plus bienvenu ici qu'à la communauté. Nathanaëlle ignora l'angoisse de l'elfe comme elle ignorait la sienne, cachée sous des tonnes et des tonnes d'espoir.

Le temps passait et la porte restait close. Les deux gardes restaient scrupuleusement silencieux, étouffant difficilement leurs bâillements. Les deux compagnons s'assirent, épuisés. Ils eurent bien du mal à se relever quand, enfin, on leur demanda de revenir dans la salle du conseil.

Ce fut encore une fois Ulrich qui s'exprima de sa voix rêche :

« Le conseil a statué de votre situation. Une proposition va vous être faite. Si vous la refusez, vous devrez quitter le territoire immédiatement. »

Arthaer se tendit. Où iraient-ils si leur voyage ne s'arrêtait pas ici ?

« Madame Nathanaëlle, vous vous engagerez à nous donner le maximum d'informations sur les évolutions technologiques et culturelles de votre monde. En échange, nous vous mènerons à l'arche qui vous permettra de le rejoindre. Pour vous, gentilhomme elfe, nous attendons de vous que vous nous livriez tout ce que vous savez sur le conflit qui nous oppose à votre peuple. Nombre de troupes, stratégies, ressources… Nous voulons tout savoir. Si vous respectez votre part du marché, vous pourrez être évalué et rejoindre l'académie de votre choix au niveau adéquat et ainsi devenir citoyen de notre royaume. Il me semble que nous sommes honnêtes dans nos exigences. N'est-ce pas ? »

Nathanaëlle acquiesça avec enthousiasme. Arthaer était plus réservé.

« Je ne connais rien de l'armée sylvaine, messire le conseiller. Comme je vous l'ai déjà expliqué, je suis un paria envoyé en exil.

— Je suis sûr que vous trouverez des choses à nous raconter. »

La voix rocailleuse s'était adoucie. L'enfant n'eut pas plus confiance pour autant.

« Devrais-je continuer à inhiber mon aura ? demanda-t-il alors.

— Pour l'instant… Oui. J'en suis désolé. C'est une mesure essentielle pour votre intégration dans notre peuple. Seul un effort de votre part permettra à nos concitoyens de faire taire la méfiance légitime qu'ils nourrissent à votre égard. »

Les excuses du conseiller sonnaient faux. Mais peut-être avait-il raison. Pour une fois, on lui proposait de prouver sa valeur *avant* de le rejeter. Il eût été bien ingrat de refuser une telle offre.

Il avança sa main pour serrer celle d'Ulrich et ainsi sceller leur pacte, mais le vieillard lui tendit plutôt la plume de la jeune conseillère et un parchemin où étaient rédigés de longs paragraphes en langue naine. Nathanaëlle était incapable de les déchiffrer, Arthaer aurait été bien en peine de l'aider sans que quelqu'un le lui lise à haute voix. Pourtant, ils signèrent tous les deux.

XVIII

C'était la débandade. Plus personne n'écoutait les ordres. De toute façon, il n'y avait plus d'ordres. Le dragon sur lequel volait le lieutenant venait de s'écrouler, un énorme carreau planté dans sa poitrine.

Il y avait des morts. Trop de morts. Ils n'étaient plus assez pour les remplacer.

Er'gaven buvait de l'aura. De plus en plus d'auras. Il créait des incendies toujours plus meurtriers.

Ce n'était plus une bataille rangée, un combat *civilisé*. C'était le chaos. On savait à peine si on frappait un ennemi ou un allié. Cela ne comptait presque plus. Il fallait survivre. C'était tout. De toute façon, la guerre était perdue. Les zeppelins avaient signé la défaite des elfes et des hommes.

C'était trop tard maintenant. Même si Er'gaven arrivait à se transformer, il se ferait transpercer les ailes et se retrouverait à terre. Maladroit. Incapable de voler. Comme l'albatros de Baudelaire.

XIX

Les jours qui suivirent la signature de leur contrat furent épuisants pour Nathanaëlle et Arthaer. La jeune femme dissertait toute la journée sur des sujets qu'elle maîtrisait moins bien les uns que les autres tandis qu'Arthaer s'évertuait à convaincre les scribes chargés de recueillir ses paroles qu'il ne savait rien. Ils souffraient chacun tour à tour du manque d'aura ou de son retour brûlant dans leur sang.

Pour ne rien arranger, un silence désagréable s'était installé entre les deux voyageurs, comme s'ils ne savaient plus quoi se dire. Leurs chemins de vie s'apprêtaient à se séparer et il semblait que cette perspective avait eu raison du lien tissé pendant les longs mois d'expédition. Nathanaëlle en souffrait, mais… C'était elle qui partait. Comment aurait-elle pu en vouloir à l'enfant d'essayer de se distancer avant son départ et les adieux déchirants qui ne manqueraient pas de l'accompagner ?

Un soir, Nathanaëlle rentra plus fourbue encore que d'habitude. Elle tenait à peine debout et se laissa tomber sur le lit, les bras en croix. Alors qu'elle profitait de sentir son petit être se débattre dans son ventre rond, elle le sentit se durcir. La respiration coupée, elle attendit quelques secondes et ses muscles se détendirent à nouveau. Ce n'était pas la première fois qu'elle ressentait une telle contraction. Pourtant quand le phénomène se réitéra quelques minutes plus tard, elle perdit sa sérénité. Ce n'était pas non plus la première fois qu'elle avait peur d'accoucher.

D'habitude, elle prévenait tout de suite Arthaer qui se tenait prêt à intervenir pour protéger son bébé comme il pourrait. C'était illusoire, l'elfe ne serait jamais capable d'absorber l'aura qui attaquerait le petit corps frêle pendant plus de quelques heures. Tout de même, Nathanaëlle ne pouvait pas se résoudre à ne pas tenter l'impossible.

Ce jour-là, elle décida d'attendre. Arthaer n'avait plus ses pouvoirs et il s'était enfermé dans la salle de bain. Pour profiter de l'eau chaude, avait-il dit. La jeune femme ne l'avait pas vraiment cru, mais avait acquiescé sans le contredire.

Son bas-ventre se contractait maintenant régulièrement et elle sentait une douleur vive irradier jusque dans son dos et ses cuisses. Elle avait l'impression d'être prise de crampes. Les deux mains posées sur son ventre, la future mère hésitait à appeler les gardes pour organiser un transfert plus rapide.

Arthaer sortit de la salle de bain, le pas traînant, et sentit immédiatement l'odeur de la peur dans la pièce.

« Nathanaëlle ?

— Oui… gémit-elle faiblement.

— Qu'est-ce qu'il se passe ? »

Dans sa précipitation au chevet de la jeune femme, l'enfant trébucha et se rattrapa de justesse sur le lit.

« Je… J'ai des contractions ! »

Arthaer hésita bien moins que la mage. Il ouvrit la porte à la volée et alpagua les gardes qui y étaient postés. Il passa à deux doigts de se faire ouvrir la gorge à la dague, mais quand ils comprirent ce qu'il leur criait à la figure, ils hélèrent un serviteur qui passait dans le couloir et lui transmirent le message.

« Conseiller arrive vite », assura l'un des deux nains en un elfique maladroit.

La respiration de Nathanaëlle était hachée. Les contractions s'espaçaient puis se rapprochaient à nouveau, s'intensifiaient puis faiblissaient. Elle oscillait entre l'espoir fou de ne pas être en train d'accoucher et l'angoisse terrible de l'être. Elle murmurait les prénoms qu'elle avait choisis, priait encore une fois son enfant de patienter. Encore un peu, Rémi. Rien qu'un tout petit peu Emma. Je t'en supplie… Mais elle lui en avait déjà trop demandé, semblait-il, et les spasmes persistaient.

Arthaer n'en pouvait plus de frotter ses mains. À ce rythme, il allait finir par former de la corne sur ses paumes. Il ne s'était senti aussi impuissant que lorsqu'il avait essayé d'utiliser ses pouvoirs de guérison inexistants. La mort d'Ast l'istrief lui revenait en pleine figure et les gémissements de douleur de son amie le faisaient trembler de tous ses membres.

Les minutes passaient et Nathanaëlle peinait à calmer sa respiration erratique. Elle essayait de mesurer le temps entre deux contractions, pour savoir si elles se rapprochaient, mais elle n'avait aucune régularité. Elle donna cette mission à Arthaer, autant pour l'occuper que pour avoir une vraie réponse, mais le tapotement frénétique de son pied sur le parquet ne fit qu'empirer son état de panique.

Alors qu'elle s'apprêtait à supplier l'elfe d'arrêter, elle remarqua que les secondes de délivrance qui suivaient les crispations de son ventre s'allongeaient légèrement.

« C'est plus long, non ?

— Trente-six, trente-sept, oui je crois, trente-neuf… »

L'enfant osa à peine s'interrompre pour répondre, prenant sa tâche très au sérieux. La douleur aussi s'atténuait. Ou était-ce le corps de la jeune femme qui avait atteint un paroxysme tel qu'il ne pouvait plus souffrir ? Même le bouillonnement de l'aura dans son sang en l'absence d'animacules ne lui faisait pas aussi mal que la torsion de son bas-ventre.

Après plus de trois minutes sans contraction, Arthaer lui demanda prudemment :

« Fausse alerte ?

— Fausse alerte… »

Nathanaëlle répondit dans un souffle épuisé. Cet avant-goût ne l'avait pas rendue impatiente de laisser son petit bout sortir. Ne pouvaient-ils donc pas rester ainsi, fusionnés ?

Alors que la jeune femme se laissait tomber de fatigue, Arthaer vint se blottir contre elle.

« Je suis désolé, murmura-t-il. Je t'en ai voulu ces derniers jours. Mais ce n'est pas de ta faute si tu n'es pas adaptée à notre monde et si le manque d'aura me fait mal.

— Si je pouvais rester, je le ferais. »

Ce n'était pas un mensonge. Là, tout contre la chaleur de l'enfant, elle se serait presque sentie à sa place. Peut-être même plus qu'avec ses parents qui avaient dû faire leur deuil depuis des années. Cette pensée lui glaça le sang. Elle ne l'avait encore jamais formulée aussi clairement.

« Si je pouvais vivre dans ton monde, je te suivrais.

— Je sais Arthaer… Je t'aime.

— Moi aussi. »

Nathanaëlle n'avait peut-être pas encore accouché, mais en cet instant, elle se sentait déjà mère. Devait-elle vraiment laisser un enfant derrière elle pour en sauver un autre ? N'y avait-il pas une autre solution ?

C'est le moment que choisit Sixtine pour débarquer dans la pièce. La porte claqua contre le mur presque aussi fort que tonna sa voix.

« Alors, alors ! C'est le moment hein ?

— C'était une fausse alerte, bafouilla Nathanaëlle gênée.

— Oh ! Mais je ne parlais pas de ce moment-là, mais de celui où je vais vous révéler ce qui vous attend réellement ! »

Nathanaëlle releva la tête et fronça les sourcils. Elle n'aimait pas la malice qu'elle détectait dans la voix haute perchée de la naine ni le petit geste qu'elle fit aux gardes.

« Très honnêtement… Je vous trouve incroyablement naïfs ! Et c'est un euphémisme. La jeune fille que j'avais rencontrée quand j'étais plus jeune avait compris bien avant vous. Peut-être était-elle moins désespérée ? »

Le ton léger ne collait pas avec les propos de la conseillère. Arthaer se releva lui aussi et se plaça entre Nathanaëlle et celle qui venait peut-être de devenir leur ennemie.

« Qu'est-ce que vous voulez dire ? demanda-t-il sans détour.

— Eh bien, maintenant que vous nous avez décrit ce que vous saviez – enfin ce que la demoiselle savait –, toi jeune elfe tu n'as pas été très coopératif…

— Je ne sais rien de plus, la coupa-t-il.

— Oui, c'est ce qu'on dit… On verra bien, tu sais. Je disais donc que nous allons finir d'extraire l'information de l'elfe, par des moyens plus… Persuasifs ! Puis vous exécuter tous les deux en place publique. Croyez-moi, ça va être une sacrée fête ! Les gens viendront de loin pour voir ça. Promettre une belle somme à qui nous ramènera un humain vaut vraiment le coup, j'en suis plus convaincue chaque fois que j'en vois un mourir devant mes yeux. L'elfe en plus, c'est la cerise sur le gâteau. »

Les deux compagnons de voyage restèrent muets, figés. Les gardes entrèrent dans la chambre et leur lièrent les mains dans le dos sans rencontrer aucune résistance. Quand ils les poussèrent pour avancer, les prisonniers réagirent enfin, mais ils eurent beau se débattre, les nains étaient bien plus forts. Et armés. Quand l'un d'eux pointa sa dague sur le ventre de Nathanaëlle, le calme revint.

Alors que le cortège s'apprêtait à quitter la chambre pour de bon, Nathanaëlle eut un sursaut d'espoir.

« Attendez ! Vous allez faire une erreur. Arthaer peut encore vous être utile. Vivant.

— Ah bon ? la railla la naine. Je suis tout ouïe !

— C'est un druide maudit, les elfes le craignent autant que les Infernaux et vous savez tout comme moi comme ils sont pieux ! Si vous arrivez à les convaincre qu'Arthaer est de votre côté, votre victoire est assurée.

— Hum… Je vais y réfléchir avec mes collègues. Souris petit Sylvain, tu vas peut-être être épargné. »

Un sourire carnassier déformait le visage rond de la conseillère. Nathanaëlle était abattue, mais son éclat avait fait renaître une étincelle d'espoir. Ni elle ni son bébé ne pourrait s'en sortir cette fois-ci, mais elle ferait tout pour qu'Arthaer en réchappe. Il l'avait sauvée tant de fois, c'était à elle de lui rendre la pareille. Elle posa une dernière question avant de s'engager dans le couloir :

« L'Arche n'a jamais existé n'est-ce pas ?

— Bien sûr que non. C'est une simple fable. »

Sixtine balaya le sujet d'un geste de la main puis claqua de la langue pour que tout le monde se mette en marche.

Les mains liées, Arthaer perdait encore plus l'équilibre que d'habitude. Nathanaëlle oublia un instant qu'elle était dans le même cas et voulut l'aider, mais son mouvement faillit la faire trébucher à son tour. Elle ne put que marcher à sa hauteur, suffisamment près pour qu'il sente sa présence et qu'elle puisse le guider.

Sixtine les devançait, la tête haute et le dos bien droit. Elle traversa le palais rapidement, mais, dès qu'elle sortit dans la rue encore bondée malgré le coucher d'Eos, elle ralentit, laissant le temps à tous les passants de la voir escorter les prisonniers. Elle se pavanait.

Nathanaëlle avait envie de cracher sur le visage amusé des nains, mais elle préféra rester digne. Et puis, elle ne voulait pas les provoquer. C'était stupide, elle était condamnée à mort, mais elle ne voulait pas se faire lapider ici et maintenant. N'aurait-ce pas été plus simple pourtant ? Mourir sans attendre l'heure fatidique et la chute du couperet. Provoquer soi-même le destin. La jeune femme n'en aurait pas été capable. Encore moins en sentant son bébé s'agiter.

Ce bébé, condamné par les elfes, qu'elle avait amené jusqu'ici pour qu'il soit condamné par les nains… Les saurials de la guilde savaient-ils qu'ils les avaient livrés à une mort certaine ? La mage pensa alors aux derniers mots que lui avait glissés Nirvielle, un avertissement : « toujours se demander ce que ceux qui vous aident gagnent en retour ». Ils savaient donc. Ils avaient même été payés pour les amener jusque-là… Y avait-il donc un seul individu bienveillant dans ce monde corrompu jusqu'à la moelle ?

Le petit groupe n'était pas bien loin du palais quand l'atmosphère commença à changer. Les rues étaient plus étroites, les murs des bâtiments plus sales. Nathanaëlle repéra plusieurs vitres brisées et rafistolées. Un lampadaire sur trois était éteint. Était-ce l'allumeur qui avait été fainéant ou l'huile qui manquait ? Une odeur amère de gruau de vehnä flottait dans l'air du soir.

Chacun était rentré chez lui. Quelques curieux les regardèrent passer à leur fenêtre. L'un d'eux les insulta copieusement. Un autre leur jeta un seau d'eau glacé. Sixtine reçut quelques gouttes et les menaça de le faire enfermer lui aussi. Il disparut alors rapidement.

Le nain avait bien visé pourtant et Nathanaëlle et Arthaer étaient trempés. Un vent frais les glaça jusqu'aux os. La fatigue et le choc les rendaient d'autant plus vulnérables. Ils avaient tous deux envie de se rouler en boule sur le sol et de se laisser s'endormir. De tout oublier, ne serait-ce que quelques minutes.

La pente de la colline était plus abrupte sur ce versant. Le cortège arriva enfin devant une immense arche sculptée à même la pierre. Une arche… Combien Nathanaëlle aurait-elle donné pour qu'elle la mène chez elle ?

Ce n'était pas le cas. Des lettres naines, si semblables aux elfiques, entouraient l'entrée sombre de la mine. Il s'en dégageait une odeur chaude et âcre. Sixtine eut une moue de dégoût, mais entra tout de même. L'air sous-terrain était dense et vaguement orangé. Le groupe traversa un long couloir haut de plafond, éclairé par des torches trop espacées. Des chariots remplis de caisses en bois étaient entreposés contre les murs.

Au bout de quelques mètres, ils débouchèrent sur une salle immense. Circulaire, son diamètre était de plusieurs dizaines de mètres. Mais ce n'était le plus impressionnant. Ce n'était en fait que l'étage supérieur d'un colossal tunnel vertical ! Sur les bords courait une plateforme de pierre dont partaient régulièrement des escaliers vers les étages inférieurs. De la chaleur émanait du réseau de tuyaux qui émergeait au centre. En se rapprochant légèrement de la balustrade, Nathanaëlle put voir qu'ils prenaient leur origine des centaines de mètres plus bas. Des tunnels rayonnaient tout le long de la plateforme et la jeune femme pensa soudainement que les souterrains de la ville étaient sûrement bien plus étendus que sa partie émergée. L'endroit était désert.

Seules les respirations du groupe et les bouillonnements dans les tuyaux troublaient le lourd silence. La mage se rendit alors compte qu'elle n'éprouvait plus que du dégoût pour les nains. Comment avait-elle pu se laisser berner par un train et des immeubles ?

Si elle y avait été amenée en amie, elle aurait été impressionnée par la mine. Ce jour-là, elle ne voyait que la gueule béante et noire d'une bête affamée. Elle ralentit, plus par instinct que volontairement, sentit la dague du garde entre ses côtes et reprit la cadence rapide que leur imposait Sixtine.

Ni elle ni Arthaer n'avaient pu enfiler de chaussures avant de sortir et après les pavés, la pierre brute de l'endroit malmenait la plante de leurs pieds. Ce n'était qu'un inconfort de plus, une humiliation de rien du tout, mais ils eurent plus mal qu'ils n'auraient dû.

« Ces fainéants sont vraiment payés à ne rien faire, grommela Sixtine en passant près une poulie reliée à une manivelle. Il n'y en a même pas un encore debout pour nous faire descendre ! »

Visiblement, c'était un système d'ascenseur manuel. Les pieds endoloris et couverts d'ampoules, les deux prisonniers auraient voulu pouvoir monter dans la nacelle tissée, mais la conseillère ne semblait pas prête à descendre avec un seul garde. C'était ridicule, pensa la jeune femme. Mais elle garda le silence.

Les escaliers étaient interminables. Les deux prisonniers avaient l'impression de descendre au cœur de la planète, là où devait se trouver un noyau de métal liquide. La température les confortait, car elle augmentait inexorablement à chaque palier. Même les nains si fiers qui les accompagnaient eurent bientôt le front inondé de sueur. Le liquide coulait sur leur nez et même dans leur barbe, constellée de gouttelettes salées.

Sixtine sembla rapidement mal à l'aise, visiblement loin de son élément. Pour se donner contenance, elle entreprit alors de leur faire une visite guidée. Ils apprirent ainsi que les tuyaux n'étaient pas un moyen de chauffage extrêmement mal réglé, mais de colossales colonnes de distillation utilisées pour purifier l'aura recueillie dans la mine ou dans le sang de leurs ennemis.

Elle leur lista aussi l'usage de chaque étage. Des logements pour les plus modestes des citoyens jusqu'à des forges où étaient créées jour et nuit de nouvelles armes, la mine semblait fonctionner en totale autonomie. C'était aussi ici que poussaient les smitz, dans des salles obscures où la seule lumière provenait des champignons eux-mêmes. Ici aussi que l'on trouvait les fameux lacs phréatiques où se développaient les escargots à coquille métallique et les animacules.

« Nous aimerions bien les utiliser en combat, leur confia la conseillère, mais nous ne maîtrisons pas encore parfaitement leur culture. Nous sommes dépendants des quelques lacs où nous avons pu en trouver alors nous préférons garder nos stocks pour les étudier et mettre au point un système vraiment efficace. »

Pendant qu'elle parlait, elle se frottait les mains de satisfaction. Nathanaëlle comme Arthaer sentirent un frisson leur traverser l'échine. S'ils avaient un jour tourné le dos aux elfes, ils étaient maintenant certains de ne pas souhaiter la victoire des nains.

Des barbares. Les elfes avaient pourtant prévenu Nathanaëlle. De son arrivée en Eowhull à son départ de la communauté, ils le lui avaient répété en boucle. Pour un peu, elle aurait pu croire en leurs balivernes, en leurs Follets et en tout le reste. Mais il y a avait Arthaer, sur lequel ils s'étaient si durement trompés. Non, décidément, rien ne viendrait les sauver ici.

Ils distinguaient enfin nettement le fond de la mine quand Sixtine bifurqua et s'engagea dans un tunnel.

« Ils pourraient tout de même installer les cellules plus haut, grommela-t-elle. Une dignitaire ne devrait pas avoir à crapahuter dans ces sous-sols infernaux ! »

Les gardes acquiescèrent d'un hochement de tête rapide. Ils étaient essoufflés et avaient le visage rougeaud.

Le tunnel était si bas de plafonds que Nathanaëlle devait courber le dos pour ne pas s'assommer. La chaleur et l'humidité rendaient l'air à peine respirable. Un grondement irrégulier résonnait sur les murs de pierre. Était-ce normal ? Cela n'avait en tout cas pas l'air d'alarmer Sixtine. Mais que connaissait la conseillère de ce monde sous-terrain qu'elle semblait tant mépriser ? Nathanaëlle n'aurait pas été surprise que le sol s'écroule sur eux d'un instant à l'autre. Bizarrement, cela ne lui fit pas peur. Apparemment, attendre la mort lui paraissait bien plus effrayant que de la vivre. Sûrement changerait-elle d'avis une fois sur l'échafaud, songea-t-elle.

La jeune femme comprit enfin d'où le grognement venait quand elle découvrit une grotte fermée par des grilles épaisses. La flamme chiche de la torche portée par Sixtine dévoilait les silhouettes rondouillardes et poilues de gros rongeurs, blottis les uns contre les autres et ronflants à qui mieux mieux. À bien y regarder, ils n'avaient pas le museau fin d'un rongeur, mais une sorte de groin couvert de fines excroissances.

« Ce sont des hadrons en apprentissage, leur expliqua Sixtine sans même se retourner. Ils servent à la forge. »

Nathanaëlle était perplexe quant à l'utilisation que pouvaient faire les forgerons de telles créatures. Arthaer lui expliquerait plus tard que ces mammifères fouisseurs, d'un mètre environ à l'âge adulte, étaient en fait élevés pour leur capacité exceptionnelle à cracher un feu si chaud qu'il en était blanc.

D'autres cellules suivaient celles des hadrons, vides cette fois. Sixtine saisit les lourdes clefs suspendues à un crochet et s'approcha de la serrure massive. Elle dut s'y reprendre à trois fois avant de trouver la bonne clef et pendant ce laps de temps insulta à la fois le geôlier qui n'avait pas numéroté son trousseau et la porte qui refusait d'obéir à sa toute-puissance. Finalement, celle-ci s'ouvrit en grinçant. Les charnières étaient couvertes de rouille.

Nathanaëlle regardait avec appréhension le sol humide quand elle se sentit poussée par-derrière. Elle tenta de reprendre l'équilibre, mais son ventre l'entraîna en avant. Dans un sursaut d'adrénaline, elle se contorsionna pour tomber sur le dos. Le choc la figea quelques instants et ses bras se tordirent sous elle, mais elle souffla de soulagement : son bébé n'avait pas heurté le sol.

La porte claqua bruyamment. La clef tourna. Deux tours. Après un dernier sourire de victoire, Sixtine tourna les talons, suivie de près par les deux gardes visiblement pressés de sortir du four souterrain qu'était la mine.

Nathanaëlle et Arthaer étaient seuls, dans le noir. Sixtine était repartie avec la torche. Seuls le ruissellement de l'aura pure dans les immenses colonnes de purification et le ronflement des hadrons les raccrochaient à la réalité. Sans cela, la jeune femme se serait crue dans un rêve. Ou plutôt un cauchemar. Comment tout avait pu chuter si vite, si bas ?

Arthaer était recroquevillé dans un coin de la cellule. Il maintenait ses genoux pliés contre lui. Il brisa le silence le premier :

« Merci. »

Nathanaëlle ne comprit pas.

« D'avoir plaidé pour qu'ils me gracient, compléta-t-il.

— Oh… »

La mage se sentit soudain coupable. Elle avait redonné espoir à l'elfe alors que les nains riraient sûrement de sa requête désespérée. Le silence s'imposa à nouveau.

***

Arthaer voulut commencer à réciter une prière, mais il s'interrompit quand il se rendit compte qu'il ne croyait plus un mot de ce qu'il psalmodiait intérieurement. Bizarrement, il se sentit en paix avec l'idée que les Follets et les infernaux n'existaient peut-être pas. Cela ébranlait son monde, mais… Il le rendait aussi plus beau. Lui qui avait été hanté par une prétendue malédiction depuis sa naissance pouvait en fait espérer bien plus que ce que les elfes lui avaient fait miroiter pendant des décennies. D'un coup, son cœur s'allégea. Être aux mains des nains allait être terrible, ils le savaient. Pourtant, même s'ils pouvaient le torturer et le tuer, ils ne pourraient pas faire de lui une mauvaise personne.

Les deux prisonniers étaient épuisés, mais le sommeil les fuyait. La nuit se passa entre phases de somnolence et crises de pleurs. Il semblait que le temps s'était arrêté et que leur attente était infinie.

Quand les premiers bruits de la journée se firent entendre, ils eurent l'espoir que quelqu'un vienne leur donner à manger et leur dire ce qu'il allait advenir d'eux. Ils attendaient cette apparition autant qu'ils la redoutaient, car elle pouvait tout aussi bien signer leur arrêt de mort immédiat.

Les hadrons s'agitaient dans la cellule voisine. Ils grognaient et reniflaient. Leurs pattes griffues crissaient contre la pierre irrégulière. Quelqu'un vint les nourrir. Le nain n'offrit que quelques gorgées d'eau aux prisonniers. Pas même un croûton rassis de pain de vehnä trop cuit.

Nathanaëlle et Arthaer ne parlaient pas. Il n'y avait rien à dire.

Les heures passaient. Une léthargie confortable s'était installée dans la petite cellule humide. Ce calme fut brisé par une garde naine qui vint secouer les barreaux. Sous son armure de métal, elle suait à grosses gouttes et semblait se délecter de leur regard ahuri. Elle décrocha le trousseau de clefs et aboya en direction d'Arthaer :

« Lève-toi ! »

Elle ne prit même pas la peine d'utiliser l'elfique. L'enfant obéit et se posta devant la porte.

« Il est épargné ? demanda Nathanaëlle, en espérant que l'ankorienne la comprenne.

— Pour l'instant ouais. J'aurais préféré le voir criblé de carreaux, mais il paraît qu'il y a encore quelque chose à en tirer. M'enfin ne te réjouis pas trop vite morveux, tu vas passer un sale quart d'heure. »

La naine parlait du druide comme d'un animal de bétail, ou même d'un objet.

Nathanaëlle aurait dû sauter de joie à l'idée que son compagnon d'infortune survive, mais elle ne put s'empêcher de ressentir une pointe de jalousie. Si elle avait dû choisir entre Arthaer ou son bébé, lequel aurait-elle sauvé ?

Elle regarda l'elfe partir, la tête basse et les épaules voûtées. Le connaissant, Nathanaëlle savait qu'il avait honte de la laisser derrière lui. Elle ne réussit pas à lui dire adieu. Lui non plus. Ils n'avaient plus besoin de mots pour se dire qu'ils ne s'oublieraient jamais. Enfin… Qu'Arthaer ne l'oublierait jamais. Elle n'en aurait pas le temps…

Au moins les Follets avaient-ils exaucé un de ses vœux. Peut-être persisteraient-ils dans leur clémence ? D'une certaine façon, elle aurait aimé ne pas avoir encore cet infime espoir. Accepter son sort aurait été plus reposant. Elle aurait pu mourir en paix.

XX

Un garde était passé pour refaire une injection d'animacules à Nathanaëlle. Elle avait un instant pensé essayer de lui cramer la barbe et le visage, mais n'avait rien fait. Quitte à mourir, elle voulait au moins être libérée de la douleur de l'aura.

Son ventre grondait, sa gorge était sèche. À quoi bon nourrir une condamnée ?

La jeune femme ne savait plus si elle voulait gagner encore quelques minutes, quelques heures, ou si elle voulait mettre fin à cette attente infernale.

Son dilemme fut résolu par un jeune garde. Il ouvrit la porte avec méfiance et lui ordonna de le suivre, le poing crispé sur sa longue dague. Craignait-il donc qu'une femme enceinte et affamée ne le surpasse au combat ?

Nathanaëlle tenait à peine debout. Ses jambes flageolantes peinaient à porter son corps trop lourd. Une lueur de doute passa dans le regard du garde.

« Avance ! » dit-il sèchement.

Trop. Il tentait de cacher sa peur, pensa la jeune femme.

L'évidence la frappa alors : comment avait-elle pu espérer que les nains qui se faisaient massacrer par les siens la voient autrement que comme une menace ? Elle qui trouvait Idriël naïf et insouciant… Elle n'était pas plus réaliste ou mature que lui.

Cette fois-ci, il ne fut pas question de gravir l'interminable escalier. Une nacelle les attendait sagement au bord de la plateforme. À son passage, les ankoriens crachaient à ses pieds et félicitaient le jeune garde de la mener à l'échafaud.

Nathanaëlle aurait pu sauter et mourir des dizaines de mètres plus bas. Elle aurait privé les nains d'une exécution publique qu'ils attendaient visiblement avec impatience. Elle n'en eut pas la force.

La garde qui était venue chercher Arthaer avait parlé de carreaux d'arbalète. Son bébé aurait-il mal quand ils mouraient tous les deux ? Serait-ce donc la seule sensation qu'il ressentirait dans sa vie qui n'avait même pas commencé ? Les bras croisés sur son ventre, elle aurait voulu prévenir son tout petit de ce qui les attendait. Peut-être sentit-il sa résignation, car il fut soudainement très calme.

La lumière du jour aveugla la jeune femme. Un vent frais s'engouffra sous ses vêtements encore trempés. Elle sut tout de suite où ils allaient. Un brouhaha joyeux résonnait en contrebas. Les rues étaient presque désertes. Seuls quelques ankoriens vaquaient à leurs occupations sans lui accorder le moindre regard. Peut-être n'étaient-ils pas tous adeptes des pelotons d'exécution.

Après quelques minutes de marche sur les pavés froids de la ville, Nathanaëlle découvrit une immense arène. Les gradins étaient taillés à même la pierre et la scène était en partie suspendue au-dessus du vide. Au milieu, un escalier menait à une plateforme haute et étroite. Là où la jeune femme allait mourir. Des arbalétriers étaient déjà postés en cercle autour de cette estrade macabre.

Quand Nathanaëlle posa le pied sur la pierre blanche de la scène, une clameur éclata dans la foule serrée sur les gradins. Debout, les bras levés vers le ciel, les nains scandaient des slogans que la jeune femme ne comprenait pas.

Elle se sentit alors minuscule. Une toute petite humaine dans un monde qui n'était pas le sien. L'arène était trop grande, les cris trop forts, la mort trop proche. Plus rien n'avait de sens. Elle s'avança vers l'escalier de bois sans résister. Elle pensa à Er'gaven à qui elle avait reproché de se conformer aux règles d'Eowhull sans se poser de questions. Avait-il compris avant elle qu'il n'était rien dans ce monde ? Qu'il devait plier pour ne pas rompre ?

Nathanaëlle marchait en automate et dépassa même le jeune garde qui la regarda gravir les marches sans comprendre. Même sur la petite plateforme, la mage n'était pas à la hauteur des premiers rangs de spectateurs. Des cailloux et des crachats volèrent, trop loin pour l'atteindre, pas pour l'humilier.

Une crampe tordit son ventre et elle tomba à genoux. Le vieux nain du conseil s'avança dans l'arène à son tour et se mit à débiter un discours exaltant. La jeune femme n'avait pas besoin de connaître le nanique pour savoir qu'il célébrait la capture et la mise à mort d'une pyromage.

Sa respiration s'accélérait, l'air peinait à passer dans sa gorge serrée. Entre les larmes qui inondaient son regard, elle vit enfin Arthaer. Entouré de gardes, il pleurait lui aussi. Pourtant, ce simple contact apaisa la jeune femme. Elle n'était pas tout à fait seule.

Des applaudissements explosèrent et Nathanaëlle sut que son heure était venue. Les six gardes qui l'entouraient, dans des tenues d'apparats rutilantes, chargèrent leur arbalète d'un carreau doré. Leurs casques à plumeau leur donnaient un air ridicule et Nathanaëlle s'autorisa un dernier rire. À quoi bon avoir peur maintenant ?

Le conseiller hurla un ordre et la mage fut mise en joue. Un deuxième ordre et les carreaux volèrent.

Non.

Non ?

Nathanaëlle avait fermé les yeux et les rouvrit avec prudence. Un silence s'était abattu sur l'assemblée. Le corps des six nains gisait sur la pierre blanche. Aucune goutte de sang n'avait coulé. La première pensée de la jeune femme alla vers les Follets. Existaient-ils donc finalement ? Elle oublia un instant la foule qui l'entourait, les centaines d'autres gardes qui pourraient l'abattre. Elle ne pensa qu'à la grâce divine qui venait de lui être accordée. Un rire extatique lui échappa.

Et puis les cadavres se mirent à bouger. Des spasmes secouèrent leurs membres déjà raidis par la mort. Une vague d'effroi se propagea dans les gradins. Et c'est à cet instant que Nathanaëlle comprit : les dieux n'avaient rien à voir dans son sauvetage, c'était Arthaer qui venait de relâcher son terrible pouvoir.

Il avait suffi d'un garde distrait, d'une solution d'animacules oubliée. La colère menaça de s'emparer de Nathanaëlle : Arthaer n'avait-il donc pas pu profiter de sa chance ? Avait-il donc besoin à ce point d'être un héros ? Pourtant, ce fut la fierté qui prit le pas sur ses autres émotions. Oui, elle était fière du courage du druide. Au fond, peut-être n'aurait-il pas pu vivre en sachant qu'il l'avait laissée mourir.

Pendant ce temps, les gardes s'étaient relevés et tournaient maintenant leurs arbalètes vers le public. Au milieu de l'arène figée de terreur, la voix mélodieuse de l'enfant s'éleva, très calme :

« Au premier mouvement, vous êtes morts. »

Il y eut quelques secondes de stupeur. Puis le chaos. Les cris de joie étaient remplacés par des hurlements d'épouvante et les gradins se transformèrent en une immense bousculade. S'ils avaient gardé leur sang-froid, peut-être auraient-ils pu abattre les six gardes au regard vide. Ce ne fut pas le cas. Tous luttaient pour s'éloigner des morts-vivants qui pointaient toujours leurs carreaux vers eux.

Arthaer mit alors sa menace à exécution. Tel un maître de marionnette, il tira sur les fils d'aura qui le reliaient aux corps sans âmes et appuya sur les six gâchettes. Six nains et naines tombèrent. Un enfant se figea en voyant sa mère s'effondrer à ses pieds. Ils ne restèrent pas longtemps à terre. Bientôt, il y eut douze nains au regard vide et six nouveaux carreaux chargés dans les arbalètes. L'enfant nain fut tiré par des adultes pour qu'il ne soit pas tué par sa mère.

Plus il multipliait ses victimes, plus Arthaer sentait le pouvoir l'envahir. L'aura qu'il absorbait l'exaltait et il lui semblait possible de diviser son esprit pour contrôler chacun de ses nouveaux soldats.

Nathanaëlle observa le druide, mains en croix, paumes vers le ciel. Sa tunique était gonflée d'un courant d'air qui semblait venir de ses pieds. L'admiration brilla dans les yeux de la jeune femme. Il ne s'était pas condamné, elle l'avait encore sous-estimé.

Tout sembla s'accélérer. Il y eut bientôt plus de nains morts que vivants dans l'arène. Presque tous ceux qui avaient échappé à leurs semblables possédés avaient fui. Pourtant, Arthaer ne semblait pas prêt à lâcher prise.

***

À vrai dire, il n'était plus conscient de pouvoir le faire. Il se sentait enfin pleinement connecté au monde et à lui-même. Son cœur battait au rythme lent de la Pulsation. Soudain, il sentit un filament de magie tomber vers lui et l'entourer. C'était l'énergie du dôme qui se mêlait à la sienne. Une joie immense l'envahit. Il ne pensait même plus à Nathanaëlle qu'il venait de sauver. Il n'y avait que lui et l'aura. En communion. Comment avait-il pu ignorer cette extase pendant des années ? Comment avait-il pu se laisser enfermer par son propre peuple ?

À travers les yeux de ses serviteurs, il vit pour la première fois. Bizarrement, il n'eut pas à s'habituer aux formes et aux couleurs. Tout lui parut naturel. Et ce qu'il vit, c'était la destruction qui se répandait dans la ville comme un feu de forêt dans des fourrés denses.

***

Il restait encore une heure à tenir à Er'gaven avant de pouvoir engloutir sa fiole d'aura. Il ne s'autorisait jamais à la boire avant la dernière charge, la dernière offensive. Car quand l'effet retombait, il n'était plus qu'une loque.

En attendant la magie salvatrice, il enchaînait coup sur coup. Chaque impact de son épée sur une armure naine remontait le long de ses bras musclés. Il paraît et encaissait les offensives naines sans même reculer. Il savait exactement comment poser ses pieds pour éviter les décharges électriques des marteaux couverts d'arcs d'aura.

À sa droite, Celeen virevoltait dans une danse mortelle. Elle crevait des yeux et tranchait des gorges et des mains. L'elfette semblait inépuisable.

Alors qu'Er'gaven mettait un énième ennemi à terre, un flash de lumière illumina le ciel. Puis un autre. Des éclairs. Il allait pleuvoir, pensa Er'gaven en grognant. Il n'aimait pas quand l'eau s'infiltrait dans la cendre et la rendait dure. Il n'aimait pas non plus quand elle imbibait son plastron de cuir et ses vêtements, ce qui rendait ses mouvements gourds.

Pourtant, l'averse ne vint pas et les flashs se multiplièrent. Un à un, les soldats des deux armées levèrent le nez vers le ciel et écarquillèrent leurs yeux. Loin à l'horizon, au-dessus de la muraille d'Ankor, scintillaient des étincelles. C'était le dôme.

Au début, Er'gaven crut que les nains avaient réussi à créer une arme surpuissante, capable de faire tomber la foudre. Mais quand il vit l'horreur se peindre sur les visages livides de ses adversaires, il sut qu'il n'en était rien.

Le combat était suspendu. Tous les regards étaient tournés vers les flashs de lumières de plus en plus puissants et fréquents. Bientôt, ce fut l'air au-dessus du royaume nain qui sembla se mettre en mouvement. On eût dit une tornade nourrie par l'aura du dôme.

Soudain, un commandant nain sortit de sa torpeur et ordonna un repli immédiat des troupes. Sa voix ne portait pas jusqu'aux soldats les plus éloignés, mais ses grands gestes paniqués ne laissaient pas place au doute : la retraite était sonnée.

Er'gaven sut alors que sa chance était là, juste devant lui. Il dégoupilla le bouchon de sa fiole et la vida d'un trait. Les poings serrés, les yeux fermés, il laissa la magie se répandre en lui et les souvenirs de ses entraînements l'envahir. Il fit apparaître ses écailles sans effort et commença à faire craquer ses os. Il savait qu'il allait y arriver. Les Follets l'avaient amené jusqu'ici, ils l'aideraient à accomplir sa mission ultime.

Ses vêtements se déchirèrent et tombèrent à ses pieds, qui n'en étaient déjà plus vraiment. De gigantesques griffes avaient percé ses chaussures de cuir. Bientôt, il ne put plus tenir debout et sentit ses omoplates de déformer, s'allonger, s'étendre. Sa peau peinait à suivre cette croissance effrénée et elle ne formait plus qu'une fine membrane autour de ce qui devenait une majestueuse paire d'ailes. Le jeune homme sentit l'excitation de l'aura pure et de la découverte l'envahir. Avec fébrilité, il tenta de bouger un de ces nouveaux membres qui venait de lui pousser. Ses premiers mouvements furent maladroits et il faillit assommer Celeen qui était restée à ses côtés alors que les autres elfes avaient aussi commencé à se replier. Pourtant, après quelques minutes, il maîtrisait approximativement ses ailes. Il fit signe à sa compagne elfique de grimper sur son dos. Elle s'exécuta et dès qu'elle fut accrochée à ses écailles rugueuses, il s'élança vers les airs. Après un décollage quelque peu remuant, il se mit à planer au-dessus des collines noires du désert.

Sa destination était simple : le centre de l'ouragan de magie qui commençait déjà à disparaître, laissant le royaume nain sans protection. Un héros avait détruit le dôme et Er'gaven voulait être à ses côtés lorsque la victoire serait sonnée. Car maintenant, elle était assurée. Les trois zéphyrs pouvaient bien semer la terreur sur le champ de bataille, réduit à une immense ligne de front, mais ils ne pourraient pas poursuivre tous les dragons qui entreraient en Ankor.

***

L'arène était vide. Les nains fuyaient toujours sans se retourner. Arthaer sentait les filaments d'aura qui le reliait à ses pantins se tendre et menacer de se déchirer. Pourtant, il devait protéger Nathanaëlle. Il ne tiendrait pas éternellement, mais s'il terrorisait suffisamment les barbares qui voulaient la tuer, elle devrait avoir le temps de fuir.

La jeune femme cependant n'était pas du tout en état de courir pour sa vie. Écroulée sur la petite plateforme de bois, elle baignait dans une flaque chaude. Sa poche des eaux venait de rompre. Elle voulut prévenir Arthaer, mais en cet instant l'elfe était aussi sourd qu'il était aveugle. Flottant au-dessus du sol, il en devenait effrayant.

***

Er'gaven ne s'était jamais senti aussi libre. Après avoir évité les courants d'aura qui volait autour de la muraille, il planait sans effort, guidé par son instinct. Le vent claquait contre ses écailles et s'engouffrait dans sa gueule grand ouverte. Les courants d'air lui faisaient faire quelques embardées, mais l'exaltation de l'aura pure annihilait toute peur. Il fendait les nuages avec plaisir, au grand dam de Celeen qui était maintenant trempée et frigorifiée.

Des centaines de mètres plus bas défilaient les collines verdoyantes d'Ankor. Er'gaven les regarda avec une joie malsaine. Il aurait eu envie de s'arrêter pour tout enflammer, mais cela attendrait. Il devait d'abord trouver l'élu des Follets qui lui avait permis d'arriver jusqu'ici.

Quand il arriva en vue de Nourh, il sut qu'il était au bon endroit. Une foule en halo se déversait dans les rues étroites de la capitale. Dans les jardins du palais aux allures orientales, des nains se battaient les uns contre les autres. Au centre du cercle de fuite, les rayons d'Eos se reflétaient sur les pierres trop blanches d'une arène.

Partiellement aveuglé, Er'gaven dû se rapprocher et plisser ses yeux reptiliens pour discerner deux silhouettes. Un enfant, debout sur les gradins, et une femme au ventre arrondi, couché sur une petite plateforme. La chevelure de la jeune femme – courte, auburn, en bataille – fut comme un électrochoc pour le jeune guerrier. Lui qui avait réussi à mettre ses souvenirs de côté se sentit d'un coup aussi vulnérable que le jour qui avait suivi la disparition d'Ysis. Si Celeen n'avait pas hurlé de terreur, il n'aurait même pas remarqué qu'il chutait. D'un coup d'ailes puissant, il reprit de l'altitude.

***

Le regard brouillé par la douleur, Nathanaëlle vit à peine l'ombre immense du dragon passer au-dessus d'elle. Les contractions étaient encore pires que lors de la dernière fausse alerte, ce qu'elle n'aurait pas cru possible et elle peinait à calmer sa respiration. Alors qu'elle se traînait vers les escaliers pour tenter de quitter l'échafaud, des serres monstrueuses se refermèrent autour d'elle.

Er'gaven entendit le petit cri de surprise de la jeune femme qu'il venait de saisir et relâcha légèrement son emprise.

« Elle est enceinte ! » lui cria Celeen pour couvrir le bruit du vent.

Un deuxième choc secoua le jeune homme.

Hébété, il déposa avec toute la délicatesse dont il était capable le corps parcouru de spasmes de la jeune femme. Il put alors enfin observer son visage. Celui d'Ysis. Ses traits étaient plus tirés, ses cernes plus marqués, mais ses yeux bruns brillaient de la même étincelle. D'énormes larmes de dragons se mirent à couler le long de son museau osseux.

Celeen se laissa glisser sur le flanc de son ami. Elle ne comprit pas sa réaction : l'humaine était en train d'accoucher, il était normal qu'elle ne soit pas au mieux de sa forme. Tout irait mieux quand le bébé serait dehors. Elle décida d'ignorer celui qu'elle ne comprendrait décidément jamais, s'accroupit auprès de la jeune femme et lui tendit la main.

Nathanaëlle la saisit et la serra de toutes ses forces pour extérioriser sa douleur et sa peur.

« L'elfe… supplia-t-elle. Le druide. J'ai besoin de lui.

— Mais non, je vais m'occuper de toi. Moi aussi je sais soigner, lui assura avec calme l'elfette.

— Non ! Il doit aspirer l'aura de mon bébé ! »

Celeen haussa les sourcils, mais Er'gaven ne mit pas plus de temps à comprendre.

D'un coup d'ailes, il se retrouva à la hauteur de l'elfe. Arthaer, le reconnut-il. L'enfant n'avait pas beaucoup grandi, mais il avait changé. Sa posture était victorieuse, bien loin des épaules voûtées qu'il traînait jour et nuit dans la communauté. Er'gaven ne savait pas quoi penser : le druide était possédé par les Infernaux, mais il venait d'ouvrir les portes d'Ankor aux elfes… Un cri de douleur d'Ysis le ramena à l'urgence.

Luttant contre la magie qui bouillonnait dans ses veines et ne demandait qu'à être consommée, il abandonna sa forme draconique. Nu comme un vers, une marche en dessous de l'elfe, il se mit à l'appeler en hurlant de toutes ses forces :

« Arthaer ! Ysis a besoin de toi ! Arthaer ! Arthaer, bordel ! Elle accouche ! »

Le jeune homme s'apprêtait à donner un coup de poing violent au druide, quitte à recevoir une décharge d'aura qui le mettrait au tapis, mais ces derniers mots firent leur effet. Les étincelles d'aura s'espacèrent et les bras de l'enfant s'affaissèrent. Il eut une expression perdue à l'égard Er'gaven, mais ne lui posa aucune question et s'élança vers la future mère.

Quand Nathanaëlle vit Arthaer accourir, elle sentit son angoisse se dissiper. Même aussi perdu qu'il l'était en cet instant, il l'apaisait.

« Tiens bon Nathanaëlle, lui enjoignit-il. Je vais aller chercher des animacules, d'accord ? Je ne pourrais protéger ton enfant infiniment, mais ces petites bestioles le feront à ma place. Je vais être le plus rapide possible, d'accord ? »

Incapable de dire quoi que ce soit, Nathanaëlle hocha frénétiquement la tête avant d'être crispée par une nouvelle contraction.

Er'gaven, qui avait accroché un bout de tissus à sa taille et récupéré une épée laissée dans l'arène par un garde paniqué, voulut accompagner l'elfe, mais il refusa.

« Je n'ai pas besoin d'être protégé. Reste avec elle. C'est ton enfant aussi après tout. »

Puis l'enfant se mit à courir. Les deux combattants le regardèrent s'éloigner sans rien oser dire. S'il avait réussi à vider l'arène, peut-être n'avait-il effectivement pas besoin d'eux.

Er'gaven se pencha au-dessus du visage couvert de sueur de sa compagne. Il avait encore du mal à croire qu'elle était réellement présente, qu'elle n'était pas morte et enterrée à la communauté. Qu'elle était bien là, prête à accoucher de leur enfant ! Il lui semblait voir un fantôme, un spectre tout droit revenu du royaume des morts.

Entre ses yeux plissés de douleur, Nathanaëlle découvrit enfin le visage du dragon. Elle faillit ne pas le reconnaître. Des cicatrices encore fraîches barraient son front et ses joues, ses yeux étaient comme éteints. Lorsqu'elle entendit sa voix, elle était trop rauque, trop abîmée. Et pourtant… C'était lui. Er'gaven. Une vague d'amour la submergea. Comment allait-il réagir face à sa soudaine résurrection ? Une douleur vive balaya la question.

***

Arthaer courait sans un regard en arrière. Il se faufilait entre les immeubles et les lampadaires, sautait au-dessus des pavés déchaussés et aspirait l'aura de chaque nain qui se trouvait sur son chemin. Lorsque tout ceci serait fini, il regretterait sûrement ces meurtres innombrables, mais il n'y pensait pas encore. L'excès de magie qu'il canalisait dans son corps d'enfant le rendait fiévreux.

***

Le temps passait et Arthaer ne revenait pas. La jeune mère poussait de toutes ses forces et l'on pouvait maintenant discerner le petit crâne fripé d'un enfant. Er'gaven était assommé par l'immensité de la situation. Ysis vivante et avec leur enfant… Heureusement, Celeen gardait son sang-froid et guidait la jeune femme. Elle avait déjà assisté à des accouchements et même si les elfes et les humains n'étaient pas tout à fait pareils, elle gérait la situation de manière admirable. Aucun nain ne vint les déranger. Ils étaient probablement trop occupés à fuir le plus loin possible de leur nouvelle définition de l'enfer.

***

Arthaer était essoufflé. Son aura commençait à se calmer et son exaltation à redescendre. Pourtant, il devait tenir encore un peu. Les jambes brûlantes d'avoir monté les escaliers, les pieds écorchés à vifs par les pavés, les poumons vides, il courait en tenant la mallette contenant les animacules et la seringue tout contre lui.

Quand enfin il arriva au centre de l'arène, le cri de la petite Emma résonnait pour la première fois en Eowhull.

Épilogue

Idriël était appuyé contre le mur noirci d'un immeuble au style haussmannien. Il regardait avec attendrissement Er'gaven, la petite Emma dans les bras, raconter la victoire des elfes. Encore une fois. Les cadets ne s'en lassaient pas. Ils le regardaient toujours avec leurs petits yeux brillants d'admiration pour ce héros en chair et en os qui s'assoyait sur le bord de la fontaine pour être à leur hauteur.

De temps en temps, Emma interrompait son père par des cris perçants. Si les enfants râlaient d'abord de devoir attendre qu'elle prenne son biberon pour entendre la suite, ils étaient en fait tout aussi fascinés par ce petit humain miniature que par les histoires épiques de bataille. Er'gaven prenait alors tout son temps. Il profitait des rares moments où Nathanaëlle le laissait seul avec leur petite fille. C'était déjà une maman poule et seul le sort d'Arthaer semblait réussir à l'éloigner ne serait-ce que quelques secondes du fruit de ses entrailles.

Peut-être avait-elle raison. Le visage strié d'estafilades mal cicatrisées, le soldat n'avait pas l'air du père idéal. Une fiole pendait toujours à sa ceinture et sa voix rauque témoignait de ce qu'il avait traversé. La guerre l'avait marqué à jamais.

Er'gaven arrivait presque à la fin du récit croisé du voyage de sa compagne et de ses propres exploits guerriers :

« Et c'est ainsi qu'Arthaer, le druide béni des Follets, et Ys... Nathanaëlle, son escorte jusqu'au cœur du royaume ennemi, ont détruit le dôme protecteur de ces barbares de nains ! »

Idriël pouffa. Si Nathanaëlle s'était entendue traitée d'escorte alors que c'est elle qui avait décidé de partir, elle aurait remis les points sur les i de son compagnon. Heureusement que le jeune père racontait toujours ses histoires à l'abri des oreilles de la pyromage. L'ancien guerrier décrirait ensuite comment les dragons avaient mis fin à des décennies de guerre en écrasant leurs ennemis, mais Idriël n'avait pas le temps.

Il resserra l'écharpe rapiécée autour de son cou et tourna le dos à la place. Il était attendu au sud de la ville sur un chantier. Tout était à reconstruire et après la guerre, les humains avaient été réquisitionnés pour s'occuper de Nourh et les elfes avaient fait le serment de leur offrir la ville quand elle serait terminée, en gage de leur reconnaissance. Les pyromages étaient alors formés à la maçonnerie et à la charpente… Le blondinet se demandait s'il pourrait un jour se plonger dans les livres des bibliothèques naines et elfiques et se consacrer enfin à l'étude de l'histoire d'Eowhull.

Au moins, ils n'étaient pas les seuls à travailler. Tous les nains survivants trimaient sous les ordres des elfes. C'étaient eux qui faisaient les tâches les plus ingrates. Idriël ne savait pas quoi penser de cette mise en esclavage. Ces gens avaient essayé de les tuer, mais… Il y avait des enfants. Certains rendus orphelins par la guerre. Quand la situation se serait calmée, pensait l'adolescent, il faudrait discuter de cela.

***

La mine de Nourh bouillonnait d'activité. Les humains essayaient de se trouver un nouveau chez eux tandis que les elfes tentaient de cartographier la zone pour se l'approprier. C'était la dernière fois que Nathanaëlle s'engagerait dans ces souterrains surchauffés. Elle avait tout de suite prévenu Er'gaven : maintenant qu'il avait tout cramé, il avait intérêt à trouver un immeuble encore debout parce qu'elle refusait catégoriquement de vivre sous terre.

Le jeune homme s'était plié à ses exigences sans même une protestation. Lui aussi ne rêvait que de leur construire un foyer. Malgré les craintes de sa compagne, Er'gaven lui avait pardonné son mensonge et son départ. Nathanaëlle ne savait pas comment il pouvait être si résilient, mais ce qu'ils avaient vécu ces derniers mois les avait tous changés. Ils étaient maintenant prêts à reprendre ensemble leur chemin vers le bonheur.

Ce jour-là, pas de nacelles ni d'escaliers. Arthaer avait été mis à l'écart dans un ancien logement de mineur, au premier étage de la mine. Les couloirs étaient bas et étroits, chauds et humides. Nathanaëlle pouvait comprendre l'aversion de Sixtine pour cet endroit.

Celeen marchait devant elle, toujours aussi joyeuse. Elle avait été assignée à la protection de Nourh et s'était engagée corps et âme dans la défense du druide. Nathanaëlle savait que la voix de l'elfette avait pesé lourd dans la balance au moment de décider du sort d'Arthaer.

Le verdict avait été rendu moins d'une heure auparavant et Nathanaëlle n'avait pas attendu plus de temps avant de se ruer vers la mine pour libérer Arthaer.

Pendant que Celeen expliquait la situation aux deux gardes elfiques armés jusqu'aux dents – comme si cela avait été suffisant pour arrêter le druide –, Nathanaëlle se faufila dans le minuscule appartement.

Arthaer était assis sur son lit, une aiguille et un morceau de tissu en main. Il avait demandé à Nathanaëlle de lui apprendre à coudre et la jeune femme ne s'était pas fait prier. Même aveugle, le jeune elfe promettait de devenir bien plus régulier qu'elle dans ses points.

Nathanaëlle savait qu'Arthaer l'avait entendu entrer, mais elle prit le temps de l'observer quelques secondes. Il avait l'air apaisé, pensa-t-elle. Pourtant, elle savait que ce qu'il avait fait aux nains le hanterait encore longtemps. Réussirait-il à se pardonner de ce qu'il avait fait ? Regretterait-il un jour d'avoir tué tous ces gens ? D'avoir abattu des enfants innocents, pour la sauver elle ? La jeune femme n'osait pas lui en parler, c'était trop tôt, mais elle savait que le moment viendrait où il faudrait lever le silence qui entourait ce miracle si effrayant.

Pas aujourd'hui. Ce n'était pas le jour pour remuer des souvenirs douloureux, mais pour célébrer. Nathanaëlle s'approcha de l'enfant et prit sa main dans la sienne.

« Ça y est ! Les Sages ont rendu leur jugement et tu es officiellement béni des Follets. Fini les histoires de malédiction. »

L'elfe eut un sourire timide. Il savait bien qu'il faudrait du temps avant que les autres n'aient plus peur de lui. Cela arrivait-il réellement un jour ? Il n'osait pas y croire totalement. Sa rencontre avec les nains l'avait désabusé.

« Cache ta joie ! Tu vas enfin pouvoir sortir ! »

Ce n'était pas tant une surprise que cela. Si les Sages avaient refusé, Nathanaëlle aurait monté une coalition entière s'il le fallait pour faire libérer l'enfant, mais, tout de même, ça avait été plus rapide que prévu !

« Je sais… mais je ne sais pas encore où je vais aller. »

Le cœur de la jeune femme se gonfla d'amour quand elle répondit avec évidence :

« Chez nous. »

Remerciements

Les premières idées de *Pyromages* me sont venues pendant mon année de terminale. J'ai ensuite passé trois ans à l'écrire et le réécrire. Beaucoup de choses ont changé. Arthaer a perdu son familier, Nathanaëlle est tombée enceinte, les saurials ont gagné un rôle central dans l'intrigue, Er'gaven est devenu un protagoniste avec sa propre histoire… Aucune version n'a été inutile, même si recommencer l'écriture de zéro, parce qu'on a eu l'idée qui va changer toute l'histoire, peut être frustrant ! Aujourd'hui, je suis enfin satisfaite de l'histoire que j'ai livrée. Elle n'est pas parfaite, aucun roman ne l'est et encore moins le premier roman publié d'une auteure, mais c'est enfin l'aventure qui correspond à mes personnages.

Bien sûr, je n'aurais pas pu écrire *Pyromages* seule. Je voudrais remercier tous les auteurs que j'ai lus et par extension tous les créateurs qui ont participé à ma culture. Je veux aussi remercier mes parents : ma maman, qui m'a lu des histoires tous les soirs pendant des années, et mon papa, qui me pousse à toujours me dépasser. Je veux aussi remercier ma petite sœur, Anaë. Elle est la première pour qui j'ai écrit des histoires et son enthousiasme a nourri ma confiance en moi.

Je remercie aussi M. Bourdette. Bienveillant et exigeant, ce professeur de français nous a donné des projets d'écriture ambitieux et m'a encouragée à continuer à écrire. C'est grâce à lui que j'ai découvert que ma plume pouvait plaire.

L'écriture est une activité qui peut être très solitaire, mais pour moi elle ne l'a pas autant été grâce à des compagnons de plume que je remercie aussi : Julie-Maï, avec qui j'ai passé des fins de soirée en prépa à écrire et qui a réalisé la couverture de ce roman ; Lucas, dont j'aime toujours lire les nouvelles et qui a des conseils précieux ; et Laëticia avec qui nous avons échangé les romans pour de la bêta-lecture. J'ai adoré lire *Lou et le pouvoir de la lune* et le voir être publié m'a donné beaucoup d'espoir.

Enfin, j'aimerais remercier mon compagnon, Clément, pour son soutien quotidien, ainsi que les éditions Le Lys Bleu et son comité de lecture, de m'avoir sélectionnée puis accompagnée dans cette aventure qu'est la publication d'un roman.

Imprimé en Allemagne
Achevé d'imprimer en septembre 2022
Dépôt légal : septembre 2022

Pour

Le Lys Bleu Éditions
40, rue du Louvre
75001 Paris